Merveilles de l'architecture

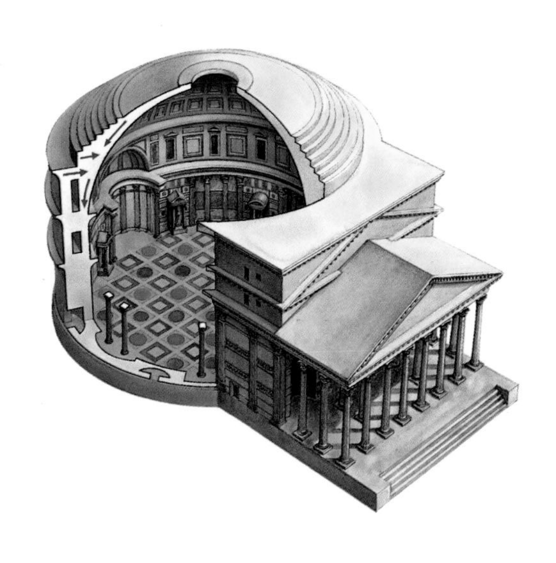

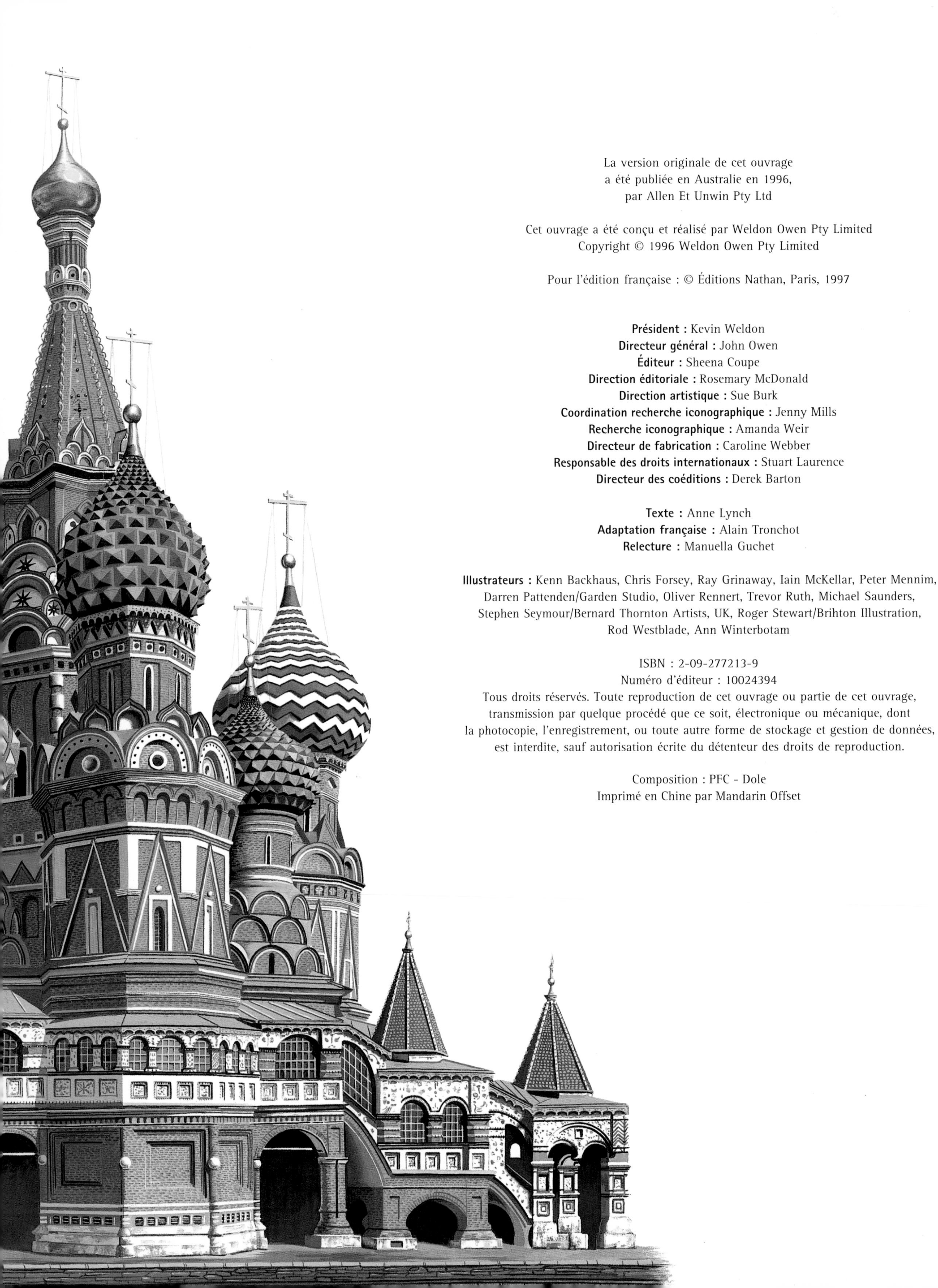

La version originale de cet ouvrage
a été publiée en Australie en 1996,
par Allen Et Unwin Pty Ltd

Cet ouvrage a été conçu et réalisé par Weldon Owen Pty Limited

Président : Kevin Weldon
Directeur général : John Owen
Éditeur : Sheena Coupe
Direction éditoriale : Rosemary McDonald
Direction artistique : Sue Burk
Coordination recherche iconographique : Jenny Mills
Recherche iconographique : Amanda Weir
Directeur de fabrication : Caroline Webber
Responsable des droits internationaux : Stuart Laurence
Directeur des coéditions : Derek Barton

Texte : Anne Lynch
Adaptation française : Alain Tronchot
Relecture : Manuella Guchet

Illustrateurs : Kenn Backhaus, Chris Forsey, Ray Grinaway, Iain McKellar, Peter Mennim, Darren Pattenden/Garden Studio, Oliver Rennert, Trevor Ruth, Michael Saunders, Stephen Seymour/Bernard Thornton Artists, UK, Roger Stewart/Brihton Illustration, Rod Westblade, Ann Winterbotam

ISBN : 2-09-277213-9
Numéro d'éditeur : 10024394

Composition : PFC - Dole
Imprimé en Chine par Mandarin Offset

Merveilles de l'architecture

TRADUCTION ET ADAPTATION

ALAIN TRONCHOT

NATHAN

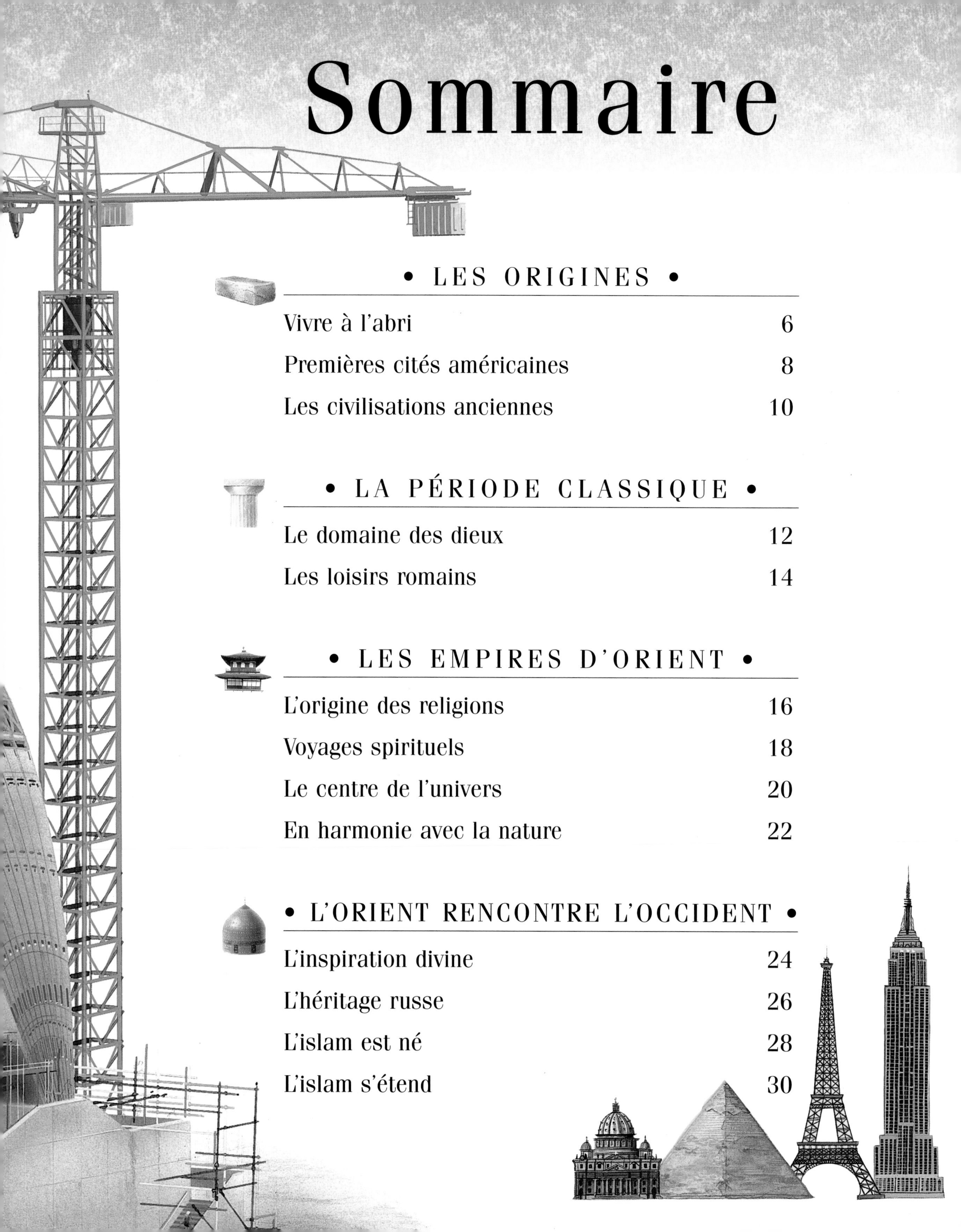

Sommaire

• LES ORIGINES •

• LA PÉRIODE CLASSIQUE •

• LES EMPIRES D'ORIENT •

• L'ORIENT RENCONTRE L'OCCIDENT •

• L'ESSOR DE L'EUROPE •

• LE MONDE INDUSTRIEL •

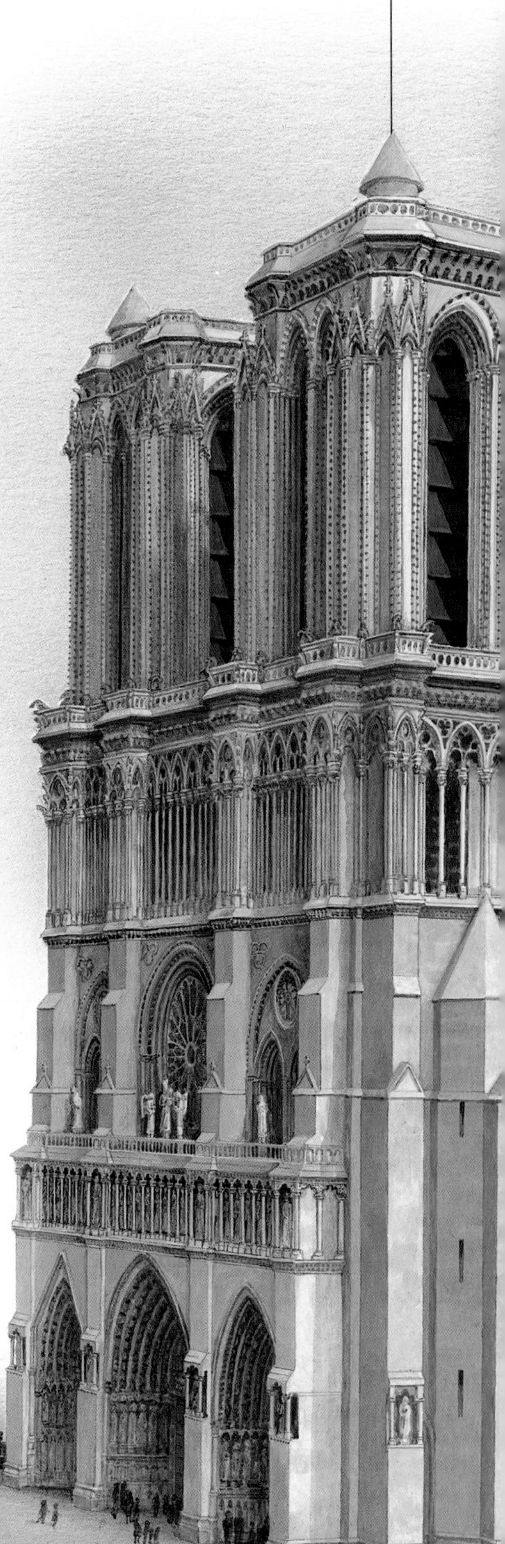

Vivre à l'abri

L'homme a besoin d'un abri pour survivre. Il mourra s'il ne se protège pas du soleil, de la pluie, du vent et du froid. Aujourd'hui, l'être humain peut vivre presque partout dans le monde, car il a appris à construire des murs et à poser un toit au-dessus de sa tête. Pendant des siècles, les hommes n'ont eu aucun outil pour couper ou déplacer les arbres et les lourdes pierres. Les premières maisons furent donc construites avec des matériaux faciles à manipuler, tels que des plantes ou des petites pierres. L'homme découvrit que de solides roches au bout aiguisé pouvaient couper les arbres ou d'autres pierres. Ces roches devinrent les premiers outils de construction. Quand les pierres et le bois se faisaient rares, on construisait les maisons avec des briques faites de boue séchée au soleil. De nombreux matériaux de construction découverts par d'anciennes civilisations sont encore employés aujourd'hui.

LE SAVIEZ-VOUS ?

Les méthodes de base employées pour soutenir le toit de nombreuses grandes constructions furent d'abord conçues dans les villages d'autrefois, afin de maintenir les toits des huttes.

Le toit
On construit un toit de chaume imperméable avec de la paille. Des paquets d'herbes marécageuses sont attachés à une structure en bois afin que les ballots s'imbriquent les uns dans les autres.

HUTTES DE PIERRE
Des murs de pierre façonnés avec des outils entourent ces groupes de maisons dans le village de Haaran, à la frontière turco-syrienne. Chaque maison possède plusieurs pièces et chacune d'elles a son propre dôme. Certaines ont même un second étage. La fumée des feux utilisés pour la cuisine s'échappe par un trou percé dans le toit.

Fabrication des Briques

Les briques de boue séchée au soleil furent peut-être le premier matériau de construction artificiel. Un mélange de boue et de paille est pressé dans un moule puis séché au soleil, comme ci-dessous. La paille maintient les briques ensemble pour qu'elles ne s'effritent pas. Comme la pluie dissout ce type de briques, on ajoute une couche de chaux.

UNE CURIEUSE RUCHE
Cette hutte située sur la presqu'île de Dingle, en Irlande, ressemble à une ruche. Elle a été construite il y a des siècles par un moine qui empila de petites pierres plates ramassées dans ses champs. Il disposa les pierres de façon à ce qu'elles soient inclinées légèrement vers l'extérieur, afin que la pluie ne puisse pénétrer dans la hutte.

Les murs
Cet homme tresse des nattes avec des feuilles de palmier qui recouvriront sa hutte. Le tressage raidit les feuilles.

LES HUTTES TISSÉES DU PACIFIQUE SUD
Dans les îles Trobriand de Papouasie-Nouvelle-Guinée, les maisons sont toujours faites de petits arbres coupés avec des outils de pierre. Les morceaux de bois sont attachés ensemble avec des lianes afin de former la structure de chaque logement. Pour achever la maison, on utilise des végétaux, comme les herbes et les feuilles, qui se tordent facilement mais qu'il est très difficile de déchirer.

Pour en savoir plus, rendez-vous à la page 54 :
Jeux et divertissements.

Premières cités américaines

Les plus vieux monuments américains se trouvent au Mexique et le long de la côte ouest de l'Amérique du Sud. Bien que ne possédant ni outils en fer ni animaux pour tirer les charrettes, les civilisations anciennes bâtirent d'énormes constructions en pierre. Les Olmèques puis d'autres civilisations mexicaines, telles que les Toltèques et les Aztèques, vivaient dans des hameaux isolés. Leurs lieux de culte étaient des cités de pierre comme Teotihuacán, où les temples reposaient sur de gigantesques pyramides. Les pacifiques Mayas vivaient dans les forêts pluvieuses de la presqu'île du Yucatán, au Mexique. Ils construisirent eux aussi leurs centres religieux en pierre. Au XVe siècle, les Incas régnaient sur un empire de 4 000 km de long dans les Andes péruviennes. Leurs nombreuses villes étaient reliées par des routes pavées et un système de poste rapide. Les tailleurs de pierre incas découpaient, polissaient et ajustaient les roches de manière si serrée qu'il est encore impossible d'y glisser une lame de couteau.

LE PALAIS DES GOUVERNEURS
Ce palais situé à Uxmal, au Mexique, est orné de sculptures représentant des serpents et le dieu de la Pluie maya, Chac. Les chefs religieux vivaient dans des pièces fraîches dotées de voûtes en encorbellement.

L'escalier des dieux
La pyramide possède des escaliers abrupts sur deux côtés. Une rangée de masques sculptés à l'effigie de Chac, dieu de la Pluie, borde les flancs de l'escalier.

LA PYRAMIDE DU SOLEIL
Cette pyramide, construite au IIIe siècle à Teotihuacán, au Mexique, repose sur une haute plate-forme entourée de volcans. La pierre recouvre un noyau de boue et de lave transportées sur le site par des milliers d'ouvriers sur une période de trente ans. Les Aztèques occupèrent cet endroit plusieurs siècles après la disparition des bâtisseurs de Teotihuacán. Ils pensaient que cette pyramide avait été construite par les dieux en personne.

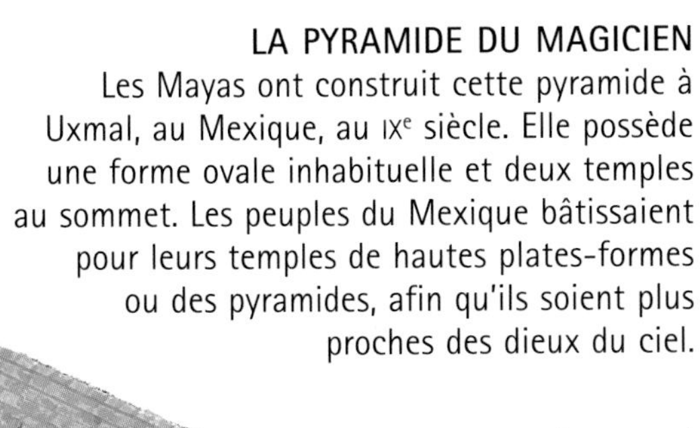

LA PYRAMIDE DU MAGICIEN

Les Mayas ont construit cette pyramide à Uxmal, au Mexique, au IXe siècle. Elle possède une forme ovale inhabituelle et deux temples au sommet. Les peuples du Mexique bâtissaient pour leurs temples de hautes plates-formes ou des pyramides, afin qu'ils soient plus proches des dieux du ciel.

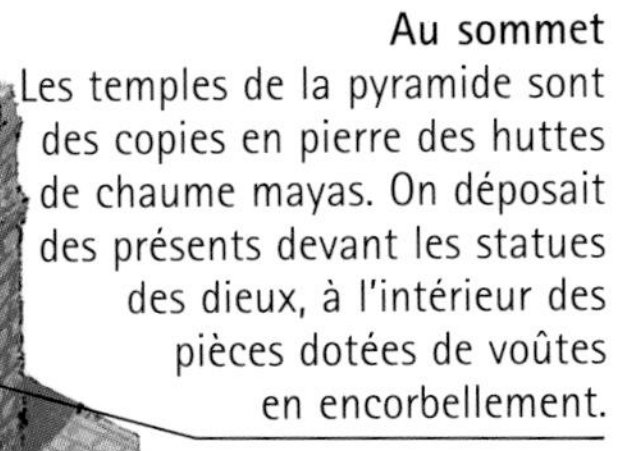

Au sommet
Les temples de la pyramide sont des copies en pierre des huttes de chaume mayas. On déposait des présents devant les statues des dieux, à l'intérieur des pièces dotées de voûtes en encorbellement.

LA CITADELLE

Les offrandes étaient placées sur le dieu Chac, qui ressemble à un homme allongé sur le dos. Cette construction est érigée près d'une pyramide toltèque du XIe siècle à Chichén Itza, au Mexique. La pyramide possède un escalier abrupt de chaque côté et un temple au sommet.

D'Étranges Corbeaux

Une construction faite de poteaux en pierre et de poutres horizontales s'effondrera si les poutres doivent soutenir des murs pesants ou si l'espace entre les poteaux est trop grand. Les porches, toits ou voûtes, comme ci-dessous, peuvent être construits avec de petites pierres appelées corbeaux. Chaque pierre repose sur la précédente et l'une de ses extrémités s'avance en saillie sur l'ouverture. Quand les pierres des deux côtés se rejoignent, on dispose au sommet des roches pour maintenir le tout.

Le Saviez-Vous ?

La pyramide du Magicien renferme trois temples plus anciens. Au Mexique, une nouvelle pyramide ou un temple contenait souvent une construction plus ancienne. Un temple complètement équipé et « prêt à l'emploi » a été découvert au sein de la pyramide du Soleil.

RUINES INCAS

D'importantes cérémonies religieuses se déroulaient à Machu Picchu, une ville inca au sommet des Andes péruviennes. Les murs de pierre des grandes constructions incas étaient couverts de plaques d'or pur.

Où trouve-t-on les ruines des premières cités américaines ?

Les civilisations anciennes

Il y a plus de 5 000 ans, une grande civilisation se développa en Mésopotamie, entre les rivières du Tigre et de l'Euphrate. Elle s'étendit ensuite vers l'est, le long de l'océan Indien. La civilisation égyptienne émergea près du Nil peu de temps après. Inventions et idées nouvelles s'échangeaient entre ces deux régions. L'Égypte possédait beaucoup de pierres et d'ouvriers. Ceux-ci bâtissaient de gigantesques pyramides et temples à l'aide d'outils et de techniques simples. La roue étant alors inconnue, vingt hommes hissaient chaque pierre sur la pyramide avec un traîneau de bois. En Mésopotamie, où la pierre et le bois étaient rares, on utilisait des briques en argile, séchées ou cuites au four.

LES PYRAMIDES DE GIZEH
Ces trois pyramides ont été construites il y a plus de 4 500 ans pour abriter les tombes de pharaons égyptiens. La plus grande des trois, la pyramide du pharaon Kheops, contient environ 2 millions et demi de blocs de pierre.

ARBRES DE PIERRE
Les gigantesques colonnes des temples égyptiens se dressent telles des forêts de pierre dans le désert au-dessus des rives du Nil. Cet ensemble situé à Karnak a été construit sur une période de 1 200 ans. Au premier plan figure la statue d'un pharaon et de sa fille.

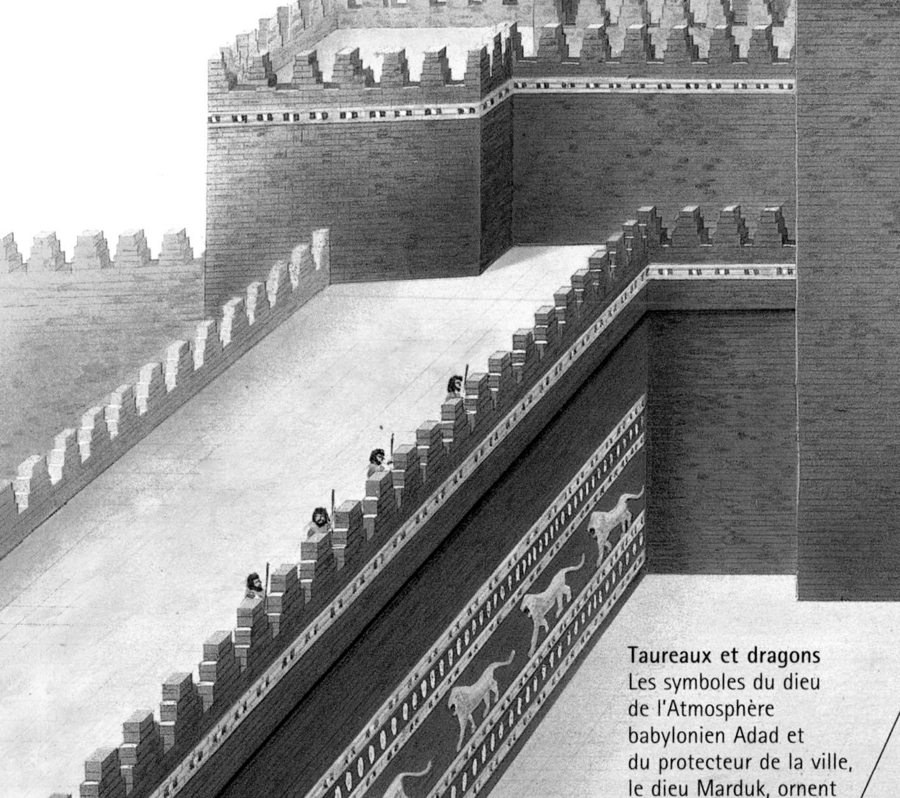

Taureaux et dragons
Les symboles du dieu de l'Atmosphère babylonien Adad et du protecteur de la ville, le dieu Marduk, ornent la porte d'Ishtar.

Le Saviez-Vous ?

Aujourd'hui, certains architectes égyptiens construisent encore des structures en voûte à l'aide de briques séchées. Les édifices restent frais et les matériaux ne nuisent pas à l'environnement.

LA PORTE D'ISHTAR

Au VIe siècle av. J.-C., le roi Nabuchodonosor fit construire une route appelée Voie processionnelle. Cette route menait de son palais de Babylone, principale cité de Mésopotamie, à la maison de la Fête, vouée aux célébrations du nouvel an. Elle traversait la double muraille de la ville, à la porte d'Ishtar.

LA PARADE DES LIONS

Sur les murs de la Voie processionnelle, chaque animal était en brique issue de moulages spéciaux, pour que le relief du corps se détache sur le mur. Chaque lion était composé de 46 briques spécialement moulées et vernissées.

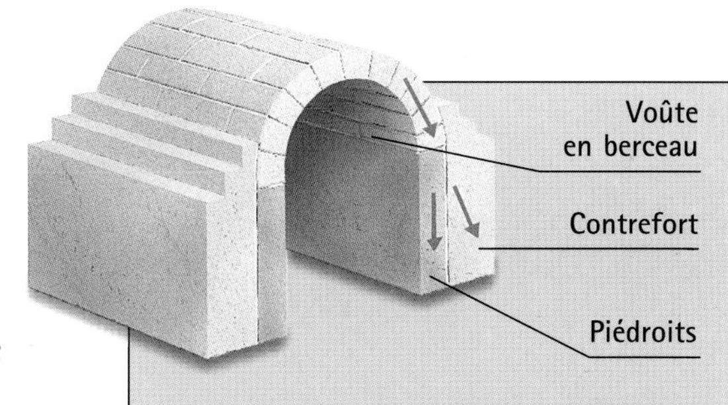

L'INVENTION DE L'ARC

Une pierre posée au-dessus d'un espace vide tel qu'une porte est fragile et ne résistera pas à un poids important. Pour y remédier les supports des anciennes constructions en pierre étaient rapprochés. Les Mésopotamiens inventèrent l'arc afin de pouvoir construire des pièces larges et ouvertes. Des briques ou de petites pierres disposées en courbe forment un arc. Le poids de chaque pierre se reporte sur la suivante jusqu'à celle posée contre un mur épais appelé contrefort. Le contrefort maintient les pierres et l'arc en place. Une voûte est un toit construit avec des arcs.

Des briques vernissées
Les briques composant les murs étaient enduites d'un mélange semblable au verre, puis passées au four pour produire des couleurs rutilantes.

Une voûte en berceau
Le passage à travers la porte était de quatre mètres de large. Seule la présence d'un arc permettait une telle ouverture.

TROIS ORDRES
Les Grecs construisaient selon trois styles appelés ordres. On reconnaît les différents ordres grâce au style de l'élément élargi formant le sommet de chaque colonne : le chapiteau.

Ordre dorique
Ce style présente d'épaisses colonnes et des chapiteaux nus.

Ordre ionique
Les colonnes plus fines de ce style sont surmontées d'un chapiteau doté de deux larges spirales appelées volutes.

Ordre corinthien
Cet ordre est plus élaboré. Son chapiteau est orné de feuilles d'acanthe.

• LA PÉRIODE CLASSIQUE •

Le domaine des dieux

Au ve siècle av. J.-C., la plupart des Grecs vivaient dans de petites villes-États sur des îles de la mer Égée et dans les vallées qui bordaient sa côte. Les Grecs construisirent des temples pour y loger leurs dieux, afin qu'ils vivent près d'eux et défendent leur ville. Les premiers temples étaient faits de bois et de briques séchées et ressemblaient aux propres huttes des Grecs. Ensuite, les temples furent bâtis sur des plates-formes de trois étages et entourés de colonnes. Quand les temples en bois se détériorèrent, on les remplaça par des temples de pierre, qui avaient exactement la même apparence. Les Grecs, qui aspiraient à fabriquer des temples parfaits, employaient le marbre blanc le plus pur. Pour dessiner les temples, les architectes utilisaient la géométrie afin d'assurer l'harmonie des proportions.

LE TEMPLE D'ATHÉNA NIKÉ
Le dessin de ce petit temple, à la gloire de la déesse Athéna, s'inspire d'une habitation grecque typique. Il a été construit dans le style ionique.

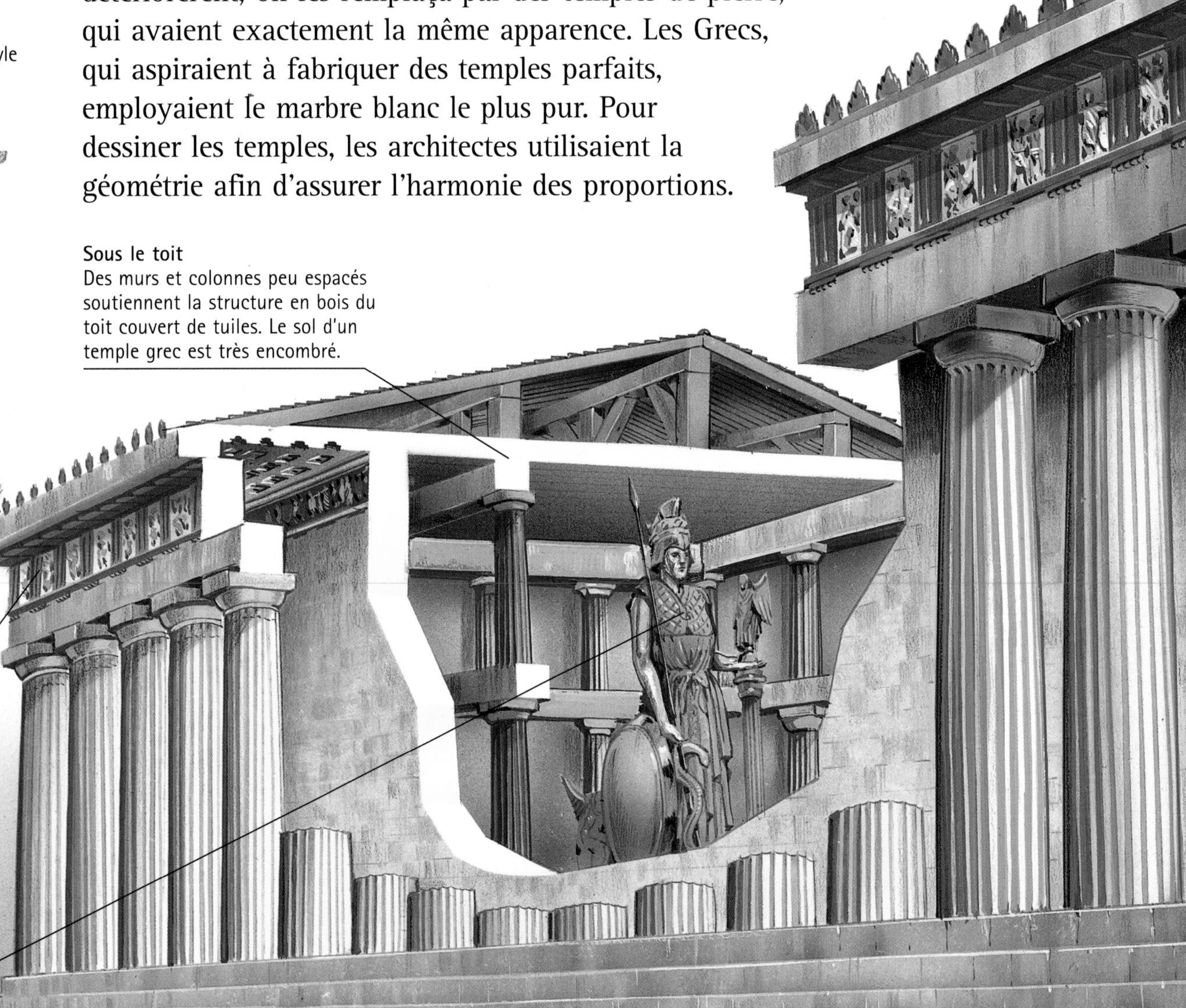

Sous le toit
Des murs et colonnes peu espacés soutiennent la structure en bois du toit couvert de tuiles. Le sol d'un temple grec est très encombré.

La frise
Une étroite bande de sculptures entoure le sommet du temple. Elle représente une procession lors de la fête d'Athéna.

La déesse Athéna
La grande statue en bois d'Athéna possède un visage, des bras et des pieds en ivoire. Elle porte des vêtements faits de plaques d'or pesant 1,134 kg.

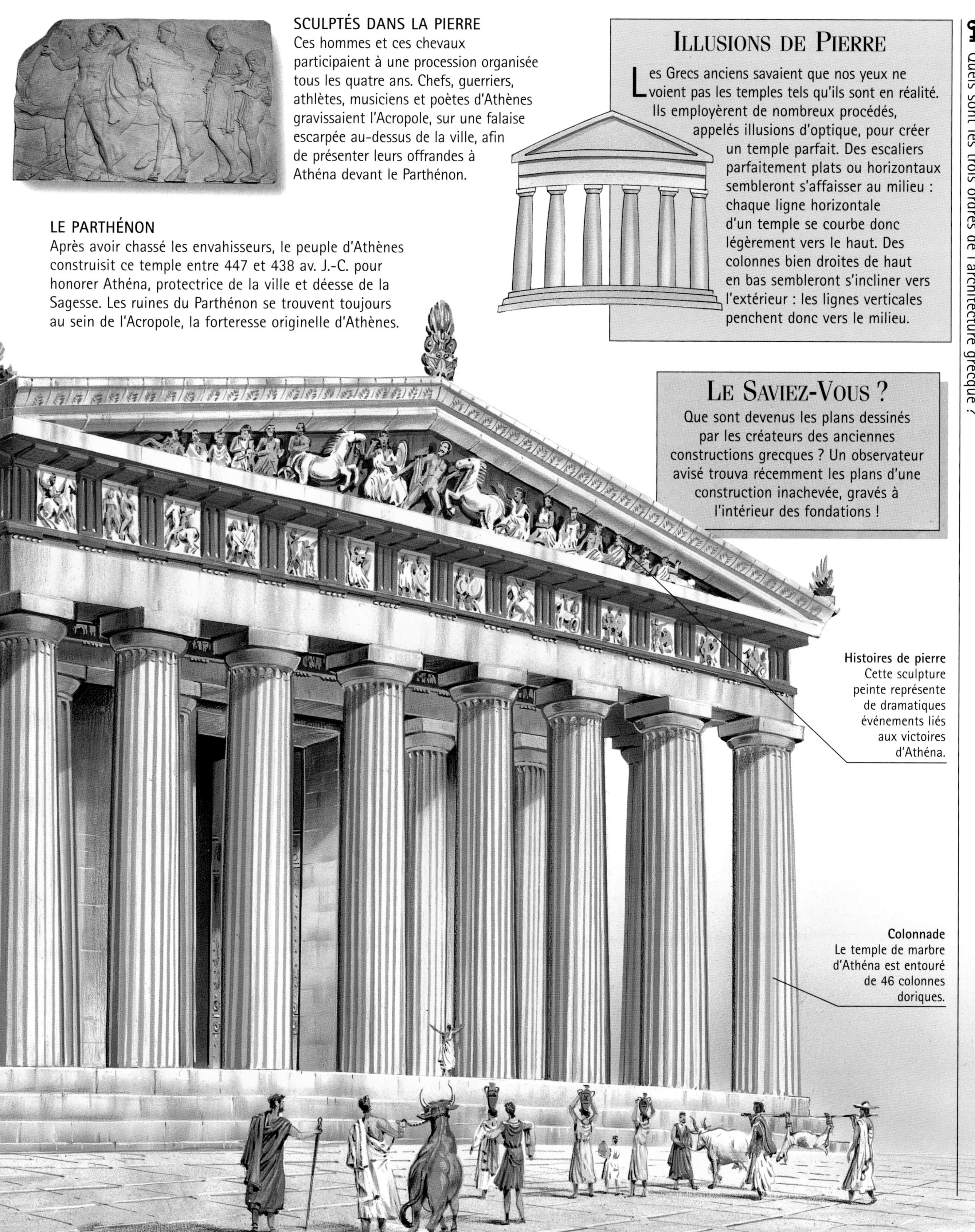

SCULPTÉS DANS LA PIERRE
Ces hommes et ces chevaux participaient à une procession organisée tous les quatre ans. Chefs, guerriers, athlètes, musiciens et poètes d'Athènes gravissaient l'Acropole, sur une falaise escarpée au-dessus de la ville, afin de présenter leurs offrandes à Athéna devant le Parthénon.

LE PARTHÉNON
Après avoir chassé les envahisseurs, le peuple d'Athènes construisit ce temple entre 447 et 438 av. J.-C. pour honorer Athéna, protectrice de la ville et déesse de la Sagesse. Les ruines du Parthénon se trouvent toujours au sein de l'Acropole, la forteresse originelle d'Athènes.

Illusions de pierre

Les Grecs anciens savaient que nos yeux ne voient pas les temples tels qu'ils sont en réalité. Ils employèrent de nombreux procédés, appelés illusions d'optique, pour créer un temple parfait. Des escaliers parfaitement plats ou horizontaux sembleront s'affaisser au milieu : chaque ligne horizontale d'un temple se courbe donc légèrement vers le haut. Des colonnes bien droites de haut en bas sembleront s'incliner vers l'extérieur : les lignes verticales penchent donc vers le milieu.

Le Saviez-Vous ?

Que sont devenus les plans dessinés par les créateurs des anciennes constructions grecques ? Un observateur avisé trouva récemment les plans d'une construction inachevée, gravés à l'intérieur des fondations !

Histoires de pierre
Cette sculpture peinte représente de dramatiques événements liés aux victoires d'Athéna.

Colonnade
Le temple de marbre d'Athéna est entouré de 46 colonnes doriques.

Quels sont les trois ordres de l'architecture grecque ?

LE PONT DU GARD

Le pont du Gard fait partie d'un aqueduc qui acheminait l'eau des sources montagneuses jusqu'aux bains et aux maisons de Nîmes, une ancienne cité romaine. Composé de trois rangs d'arcades, le pont du Gard mesure 273 m de long et 49 m de haut.

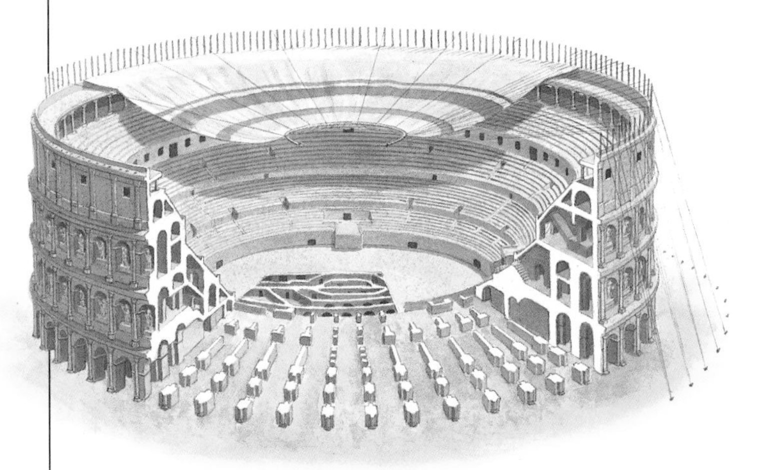

LE COLISÉE

Les 50 000 places du Colisée à Rome s'élevaient en gradins coulés dans le béton. On y accédait par des escaliers. Chaque spectateur pouvait quitter le Colisée en cinq minutes par des sorties appelées « vomitoria ». Le Colisée accueillait de nombreuses activités. On l'emplissait d'eau pour de fausses batailles navales. En d'autres occasions, les gladiateurs se mesuraient à des lions surgissant dans l'arène par des portes cachées.

Buffet-restaurant et balcon

Piscine
Chaque garçon romain devait savoir lire et nager. Les thermes des régions les plus froides de l'Empire possédaient des piscines chauffées intérieures.

Frigidarium
Situé au centre des thermes, le frigidarium était un lieu de rencontre populaire. Quatre bains remplis d'eau froide donnaient son nom à cette pièce.

EN PLEIN AIR

Une mosaïque sur le sol des thermes de la Villa Casale, manoir privé de Piazza Armerina, en Sicile, représente des femmes en plein exercice. Bien des thermes publics possédaient une aire de bains séparée pour les femmes.

• LA PÉRIODE CLASSIQUE •

Les loisirs romains

Au Ier siècle après J.-C., Rome était un grand empire. Il s'étendait depuis la mer Caspienne à l'est et les îles britanniques au nord, jusqu'à l'Afrique du Nord au sud. Les Romains bâtirent des routes solides pour relier leurs nombreuses villes. Les aqueducs fournissaient à ces villes de l'eau issue des sources de montagnes. De toutes les parties du monde connu, des produits de luxe arrivaient dans les grands ports de Rome. En ville, les Romains achetaient des plats à emporter pour les consommer dans des logements équipés de fenêtres de verre. Ils se divertissaient en assistant à des pièces de théâtre ou à des événements sportifs tels que la course de chars. Les bains publics servaient à l'exercice ou à la détente. Afin de se rendre populaires, les empereurs romains firent édifier de somptueux bâtiments destinés aux divertissements publics. Les constructeurs romains utilisaient des matériaux artificiels tels que le béton pour ériger ces bâtiments, ornés de statues, de mosaïques et de marbre importé.

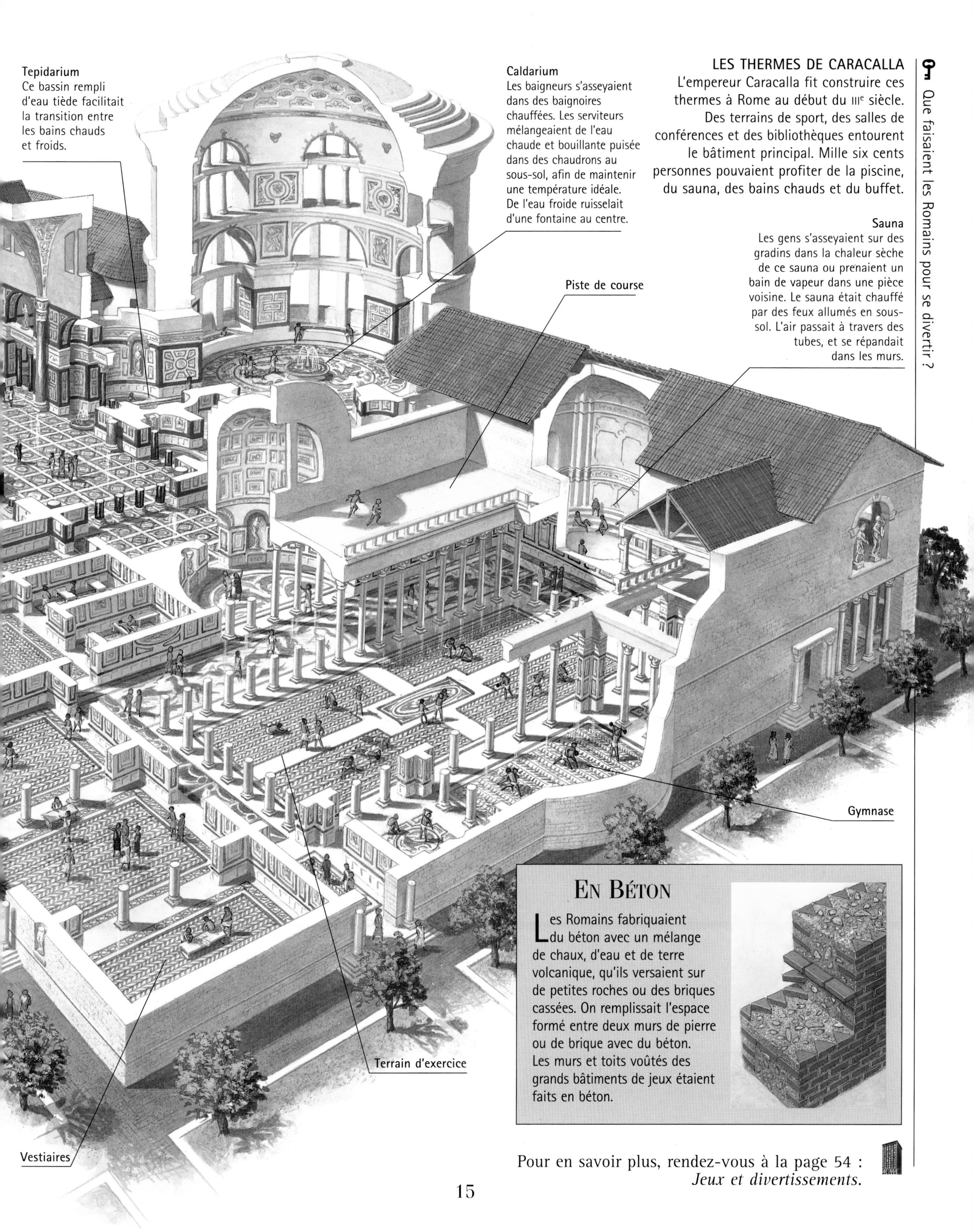

LES THERMES DE CARACALLA

L'empereur Caracalla fit construire ces thermes à Rome au début du IIIe siècle. Des terrains de sport, des salles de conférences et des bibliothèques entourent le bâtiment principal. Mille six cents personnes pouvaient profiter de la piscine, du sauna, des bains chauds et du buffet.

EN BÉTON

Les Romains fabriquaient du béton avec un mélange de chaux, d'eau et de terre volcanique, qu'ils versaient sur de petites roches ou des briques cassées. On remplissait l'espace formé entre deux murs de pierre ou de brique avec du béton. Les murs et toits voûtés des grands bâtiments de jeux étaient faits en béton.

Pour en savoir plus, rendez-vous à la page 54 : *Jeux et divertissements.*

SRI RANGANATHA
Cette tour bâtie à Mysore, en Inde, est l'une des quinze portes géantes élevées sur les cinq murs qui clôturent un sanctuaire hindou. Les portes ont été construites entre le XIe et le XVIIe siècle. Le sanctuaire lui-même est très petit et souvent rempli par l'auditoire du prêtre ou les assemblées de pèlerins.

Le Saviez-Vous ?

Un petit sanctuaire hindou peut être vu de n'importe quel endroit du village grâce à la grande shikhara sculptée, érigée au-dessus de l'édifice. Elle représente une montagne sacrée. On la considère comme un escalier vers le monde céleste.

LE TEMPLE DE RANAKPUR
Le temple de Ranakpur honore Mahavira, fondateur du jaïnisme. Les jaïns pensent qu'une personne vit plusieurs vies, y compris celle des animaux. Ils s'efforcent de ne blesser aucun être vivant. L'un des grands dômes en encorbellement de Ranakpur s'élève au-dessus de la cour. Le dôme repose sur deux étages de colonnes et est entouré par d'autres dômes plus petits.

L'origine des religions

Dès 2500 av. J.-C., les grandes civilisations prospérèrent au sud des montagnes himalayennes, dans l'Inde actuelle. Trois religions mondiales y naquirent : l'hindouisme, le bouddhisme et le jaïnisme. Toutes les trois professent que la vie, telles les saisons, est perpétuelle. Selon ces religions, l'âme d'une personne occupe à sa mort le corps d'une autre personne. C'est ce que l'on appelle la réincarnation. L'hindouisme est né vers 1500 av. J.-C. Beaucoup d'hindous effectuent des pèlerinages dans des temples pour rendre hommage à leurs dieux. Ces temples possèdent des extérieurs très décorés et les pèlerins font leurs dévotions dehors. La plus importante partie du temple est un sanctuaire sans fenêtre, qui abrite les dieux. Une grande shikhara, ou tour, s'élève au-dessus du sanctuaire et une série de porches ouverts servent aux assemblées et aux danses religieuses.

Solide comme un Roc

Au IIe siècle av. J.-C., des moines bouddhistes ont construit un monastère à Ajanta en sculptant des grottes artificielles dans les falaises surplombant la rivière (photo de gauche). Les tailleurs enlevèrent les roches dont ils n'avaient pas besoin et les emportèrent. L'entrée à colonnes de la vihara (à droite), où vivaient les moines, menait à une pièce rectangulaire entourée de galeries. Chaque moine disposait d'une cave carrée ouvrant sur une galerie. On polissait les murs de pierre et le plafond avant de les décorer de peintures ou de sculptures. Le monastère abritait également un chaitya, ou salle de rencontre, où l'on se rassemblait pour prier ou étudier.

PLAN D'UN TEMPLE

Des règles mathématiques régissent le dessin des temples hindous. De nombreux petits carrés constituent le plan du sol du temple. Un carré, qui ne change jamais, symbolise le monde céleste.

MYTHES DE PIERRE

Ces sculptures très expressives, situées à l'extérieur de Kandariya Mahadeo, représentent de nombreuses figures de la mythologie hindoue.

LE TEMPLE DE KANDARIYA MAHADEO

Plus de mille formes sculptées recouvrent ce temple du XIe siècle à Khajurâho. À première vue, il ressemble à une montagne de roche couverte de rangées de sculptures. Le temple repose sur une haute plate-forme. Son sanctuaire se trouve sous la grande shikhara d'un côté de l'édifice tandis qu'une entrée profonde se situe à l'autre extrémité. Les processions empruntent un passage qui serpente autour des salles et du sanctuaire.

Voyages spirituels

Le Saviez-Vous ?
Malgré les efforts et les dépenses causés par Boroboudour, l'édifice fut abandonné aux plantes de la jungle après avoir été achevé.

De nombreux peuples vivent dans les îles et péninsules d'Asie du Sud-Est. Tous possèdent un mode de vie propre. Depuis des temps reculés, des marchands issus de toutes les régions d'Asie naviguaient le long de ces littoraux et de ces routes maritimes, répandant ainsi des idées nouvelles. L'hindouisme et le bouddhisme arrivèrent d'Inde, l'islam et le christianisme de régions plus à l'ouest. Ils se greffèrent peu à peu sur les religions locales. Certains des plus grands monuments d'Asie ont été construits en l'honneur de Bouddha. Siddhârtha Gautama, appelé le Bouddha ou l'Éveillé, fonda le bouddhisme en Inde au VIe siècle av. J.-C. Il professa que chaque personne pouvait espérer atteindre le nirvâna – une vie paisible après la mort, où il n'y a pas de souffrance. Les bouddhistes ont construit des stûpas pour abriter les reliques de leurs chefs spirituels. Un stûpa possède généralement la forme d'un dôme et repose souvent sur une plate-forme carrée où viennent méditer les pèlerins.

BOROBOUDOUR
Ce monument bouddhique se trouve au milieu de la jungle, dans l'île de Java, depuis le début du IXe siècle. Il a été conçu de manière à ressembler à une montagne. Le stûpa compte huit étages ou terrasses que les pèlerins gravissent pour gagner le sommet.

UN PAVILLON D'ENTRÉE
Cette loge magnifiquement sculptée, située à Angkor au Cambodge, mène à Angkor Vat (« la ville-temple »), un temple hindou du XIIe siècle qui pourrait bien être la plus grande structure religieuse du monde.

DE PETITS BOUDDHAS
Des statues de Bouddha méditant sous des voûtes en encorbellement bordent les couloirs des terrasses carrées de Boroboudour. Les murs sont ornés de sculptures retraçant les grands événements de la vie de Bouddha.

DÔMES EN ENCORBELLEMENT

On construit un dôme en encorbellement simple en agençant des cercles de pierres plates les uns sur les autres. Chaque pierre fait légèrement saillie sur la pièce que l'on recouvre d'un dôme. La pression exercée au-dessous et au-dessus de l'extrémité de chaque pierre la maintient en place. Une pierre large et pesante placée au sommet maintient toutes les couches de pierres.

Au sommet
Une statue est cachée sous le plus haut stûpa.

ANANDA
Ce groupe de stûpas situé à Pagan, en Birmanie, cache partiellement Ananda, un stûpa de marbre blanc s'étageant au-dessus de Pagan. Ce stûpa abrite des reliques bouddhiques.

WAT PRA KEO
Le panthéon royal se trouve au centre de Wat Pra Keo à Bangkok, en Thaïlande, la partie bouddhique du palais royal. Les cérémonies ont lieu dans le panthéon royal, qui renferme huit statues de rois en or.

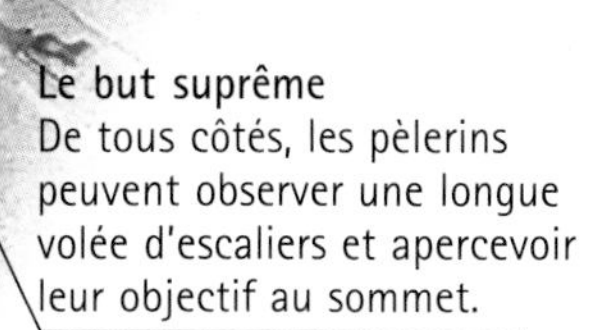

Le but suprême
De tous côtés, les pèlerins peuvent observer une longue volée d'escaliers et apercevoir leur objectif au sommet.

Pour en savoir plus, rendez-vous à la page 16 :
L'origine des religions.

LA GRANDE MURAILLE DE CHINE Au IIIe siècle av. J.-C., les Chinois achevèrent leur première muraille pour contenir les envahisseurs venus du nord. Cette muraille fut reconstruite au XIVe siècle sous la dynastie des Ming. Cinq chevaux pouvaient trotter côte à côte le long du sommet. La muraille s'étend toujours sur 2400 km à travers la Chine du Nord.

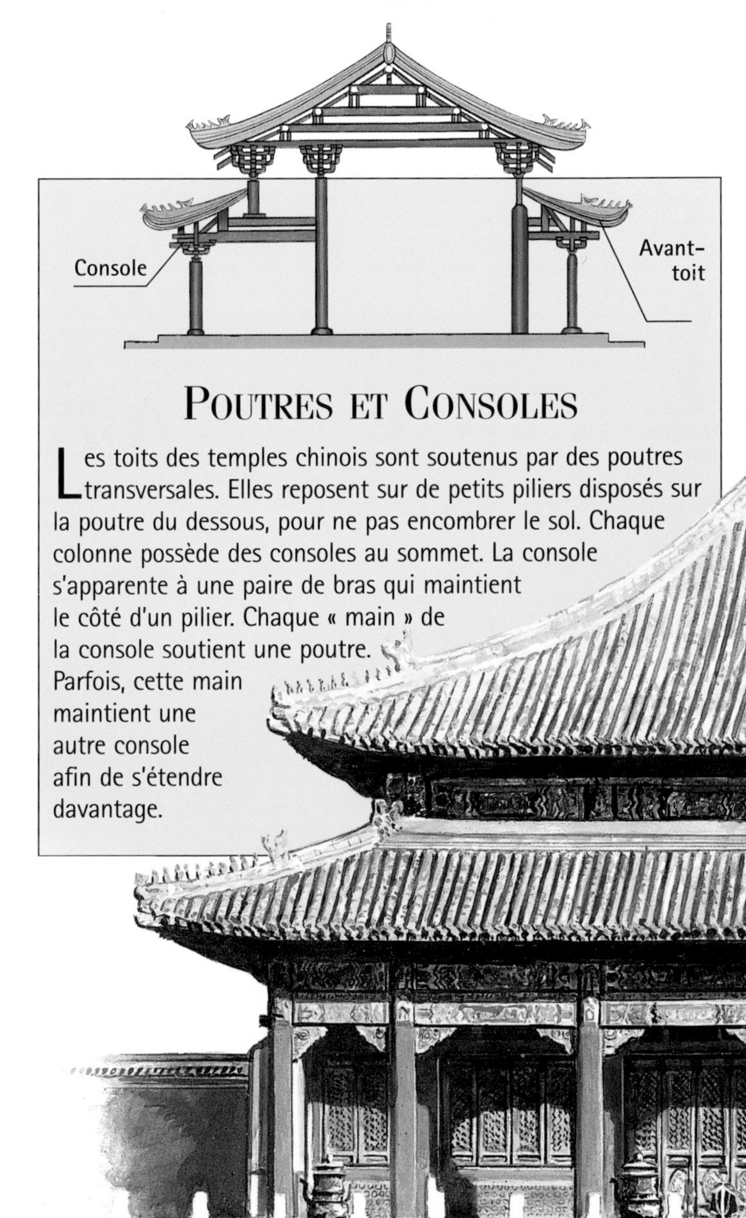

Poutres et consoles

Les toits des temples chinois sont soutenus par des poutres transversales. Elles reposent sur de petits piliers disposés sur la poutre du dessous, pour ne pas encombrer le sol. Chaque colonne possède des consoles au sommet. La console s'apparente à une paire de bras qui maintient le côté d'un pilier. Chaque « main » de la console soutient une poutre. Parfois, cette main maintient une autre console afin de s'étendre davantage.

• LES EMPIRES D'ORIENT •

Le centre de l'univers

La Chine est un unique pays doté d'une seule civilisation qui s'est développée pendant des siècles dans une région grande comme l'Europe. Les Chinois sont connus pour leur soie et leur porcelaine, ainsi que pour leurs philosophies, le confucianisme et le taoïsme. Philosophie et architecture sont étroitement liées en Chine, car toutes deux concernent la place de l'homme dans l'univers. Ainsi, une maison familiale représente le centre de l'univers familial. Le palais de l'empereur se trouvait au centre de la Chine et de l'univers dans son ensemble. Mais les Chinois subirent également l'influence de pays étrangers. D'Inde leur parvinrent le bouddhisme et les techniques bouddhistes de construction en bois. Très peu d'édifices anciens ont survécu, mais les importantes constructions en bois furent par la suite reproduites dans la pierre. Ces monuments possèdent des toits en bois élaborés, couverts de tuiles vernissées.

LE TEMPLE DU CIEL Au début de chaque printemps, l'empereur priait pour une récolte abondante, dans cette salle ronde avec ses trois toits de tuiles.

La Terre
Le pavillon, comme tous les monuments importants, se trouve sur une plate-forme qui représente la Terre.

LE PAVILLON DE L'HARMONIE SUPRÊME

L'empereur arrive au pavillon de l'Harmonie suprême, dans la Cité interdite. Le pavillon fut à l'origine construit au XVe siècle sous la dynastie des Ming. Il faisait partie du palais impérial. Le monument actuel fut reconstruit en 1696 sous la dynastie des Qing. Le pavillon et le siège de l'empereur sont tournés vers le sud. En effet, les Chinois pensent qu'un siège dirigé vers le sud est signe d'honneur et de respect.

LA CITÉ INTERDITE

Le palais impérial fut appelé Cité interdite car peu de personnes étaient autorisées à franchir ses imposantes fortifications. Cette peinture vieille de 600 ans montre des membres du gouvernement se rassemblant aux portes de la ville.

Les cieux
Les larges avant-toits sont relevés aux extrémités et semblent faire flotter le toit au-dessus du pavillon. Très raffiné, le toit d'un monument chinois représente les cieux.

Pourquoi les Chinois ont-ils construit une grande muraille ?

En harmonie avec la nature

LE CHÂTEAU DE HIMEJI
Des châteaux furent construits pour la noblesse au XVIe siècle. Himeji, sur la côte du Sanyo, possède une grande tour centrale, entourée de tourelles reliées par des couloirs. Les samouraïs défendaient le château avec des fusils et des flèches.

Les Japonais ont appris à apprécier la beauté des éléments naturels grâce à une religion appelée shintoïsme, selon laquelle les éléments naturels les plus simples, tels un arbre ou une chute d'eau, incarnent les forces de la nature. Les Japonais se sont également inspirés des Chinois. Au VIe siècle, le bouddhisme est parvenu de Chine jusqu'au Japon par l'intermédiaire de la Corée. Les charpentiers chinois et coréens introduisirent des méthodes de menuiserie, que les Japonais adaptèrent ensuite à leurs goûts. Les bouddhistes japonais se caractérisaient par un amour de la nature hérité du shintoïsme. Les constructions japonaises en bois sont très délicates. Maisons et temples sont conçus pour se mêler à la nature, non pour se détacher d'elle. Les habitants d'une maison ne se sentent jamais isolés de l'extérieur. Ainsi, un mur est souvent construit de manière à coulisser et s'ouvrir sur un jardin.

Le Saviez-Vous ?
Quand les premiers gouvernements japonais émigraient vers une nouvelle capitale, ils ordonnaient que les temples les plus sacrés soient démontés et remontés dans ce nouveau lieu.

Consoles
Ces consoles simples ont permis de construire ce mur entre les deux toits, en utilisant quelques piliers en bois très espacés.

Le grand mât
Un mât, qui se trouve sur une pierre posée sur les reliques bouddhiques, maintient la pagode et ses cinq étages de toits, soutenus par des consoles.

LES TEMPLES DE HORYUJI
Ces temples bouddhiques situés à Nara ont été construits aux environs de 700. Ce sont les plus anciennes constructions en bois du monde. Cette pagode délimite l'endroit où les reliques bouddhistes symboliques sont inhumées et honorées. Le Pavillon doré sur la gauche abrite une statue de Bouddha.

PAVILLON PHŒNIX
Cette villa de Uji s'ouvre sur les jardins et les étangs environnants. Elle devint le temple d'une secte bouddhiste. Ses membres aimaient méditer dans des endroits qui s'apparentaient au paradis promis par leur foi.

FAITS SUR MESURE

Pendant des siècles, les Japonais ont construit des édifices dont les dimensions ne variaient guère. La distance entre les piliers d'une maison s'adapte aux tapis de sol de taille standard. La structure de chaque panneau du mur est de la même taille qu'un tapis. Du papier couvre chaque structure afin de former un pan du mur. Ces panneaux coulissent pour diviser une pièce ou s'ouvrir vers l'extérieur.

Élégance et efficacité
Un système complexe mais très élégant, où s'entrecroisent consoles et leviers, permet aux piliers intérieurs de l'édifice de supporter le poids des larges avant-toits.

L'inspiration divine

Les chrétiens croient en Jésus, le fils de Dieu, et leur religion est fondée sur sa vie et ses enseignements. Les chrétiens furent persécutés pendant de nombreuses années sous l'Empire romain mais en 313 ap. J.-C., l'empereur Constantin autorisa la pratique de cette religion. Il quitta alors Rome et se dirigea vers l'est, à Byzance, pour y établir une nouvelle capitale nommée Constantinople (aujourd'hui Istanbul, en Turquie). L'Empire romain se sépara ensuite entre Est et Ouest. L'Empire occidental s'effondra après avoir été envahi maintes fois par des tribus nomades d'Asie centrale, mais la partie orientale survécut pour devenir l'Empire byzantin. Le christianisme qui s'y développa est appelé christianisme orthodoxe. L'église de Sainte-Sophie à Constantinople, chef-d'œuvre de l'architecture byzantine, inspira les créateurs d'églises orthodoxes pendant des siècles. La grande coupole centrale de l'église représente les cieux, et le sol évoque la vie sur terre.

LE SAVIEZ-VOUS ?

Pendant des siècles, le dôme du Panthéon fut le plus grand du monde. Sa largeur et sa hauteur sont de 43 m. Des murs de 5 m d'épaisseur soutiennent la base du dôme.

LE PANTHÉON
Le dôme du Panthéon, à Rome, a longtemps intrigué les ingénieurs modernes. Ils ignoraient comment les Romains d'autrefois avaient pu construire un dôme aussi large. Puis ils découvrirent qu'il était fait de béton de plus en plus léger à mesure qu'il s'élevait. Chaque niveau comprenait un mélange de pierres plus légères telles que la pierre ponce.

Une nouvelle technique
Les architectes byzantins construisirent des dômes ronds sur des pièces carrées. Quatre pendentifs, triangles sphériques entre les grands arcs, supportent une coupole. Les pendentifs transfèrent le poids du dôme sur les quatre supports du dessous.

L'ÉGLISE AUJOURD'HUI
Quatre tours appelées minarets entourent Sainte-Sophie. Elles furent ajoutées quand les Turcs ottomans, fondateurs de la Turquie moderne, conquirent l'Empire byzantin et transformèrent l'église en mosquée.

La coupole centrale
Composée d'une seule couche de briques, la grande coupole légère est large de 33 m. Elle possède une rangée de fenêtres cintrées découpées dans sa base.

LA CONGRÉGATION
Il n'existait pas de sièges à l'intérieur de Sainte-Sophie. Les fidèles se tenaient dans les espaces entre les colonnes – les hommes dans la nef latérale et les femmes dans la galerie au-dessus – pour écouter les chants du service liturgique orthodoxe.

Demi-coupoles
Une demi-coupole à chaque extrémité allonge la nef de 76 m et soutient la coupole centrale en s'appuyant contre sa base.

DES MOSAÏQUES COLORÉES

Une mosaïque est un dessin composé de petits morceaux de verre ou de pierre colorés, disposés sur un mur ou un toit. Les mosaïques semblent briller même avec très peu d'éclairage. À une époque, de nombreuses mosaïques colorées couvraient les toits de Sainte-Sophie. Jésus (à droite) et d'autres grandes figures du christianisme furent représentés dans des mosaïques sur un fond doré, qui symbolisait le paradis.

SAINTE-SOPHIE
Les architectes byzantins entreprirent la construction de cette église à Constantinople en 532, durant le règne de l'empereur Justinien. Ils l'achevèrent six ans plus tard et elle ne tarda pas à se poser en modèle des futures églises orthodoxes. Les membres du clergé, en tant que représentants de Dieu, rencontraient l'empereur, souverain du monde, sous les grandes coupoles, où l'on prêchait la parole de Dieu.

Pour en savoir plus, rendez-vous à la page 39 : *Exercices de style.*

Quelle nouvelle technique de construction fut développée par les architectes byzantins ?

L'ÉGLISE DE LA NATIVITÉ
Cette église se trouve dans un musée en plein air, près de la ville de Novgorod. Des corbeaux en bois d'une facture remarquable soutiennent la galerie. Bien que de construction plus simple, cet édifice possède de nombreux points communs avec Saint-Basile.

LE MONASTÈRE DE LA TRINITÉ-SAINT-SERGE
Le tsar Ivan le Terrible fit construire cette cathédrale dotée de coupoles bleues après que les moines l'eurent aidé à financer sa guerre contre les Tartares. Entouré de fortifications, ce monastère était le plus imposant de Russie. Il abritait des soldats.

• L'ORIENT RENCONTRE L'OCCIDENT •

L'héritage russe

Les premiers peuples russes vivaient dans les forêts à l'ouest de l'Oural, à la frontière entre l'Europe et l'Asie. Les marchands russes empruntaient les grandes rivières et la mer Noire pour vendre des fourrures à leur puissant voisin, l'Empire byzantin. Ils adoptèrent par la suite la religion de Byzance et devinrent des chrétiens orthodoxes.
Les Tartares mongols, des nomades asiatiques, conquirent la région au XIIIe siècle et la dominèrent pendant 200 ans, avant que les Russes ne regagnent leur indépendance. Au XVIe siècle, le tsar Ivan le Terrible combattit deux États tartares et s'empara de leurs territoires. Il entreprit alors de faire de la Russie une grande puissance. Les charpentiers russes étaient d'habiles constructeurs de navires et de maisons en bois. Grâce aux Byzantins, ils apprirent à bâtir avec de la pierre et des briques.
Les églises russes et byzantines possèdent de nombreuses coupoles, mais les coupoles russes, en forme d'oignons pour se débarrasser de la neige, s'élèvent bien au-dessus des toits.

LE KREMLIN
La ville de Moscou s'étendit à partir de ce « kremlin », ou forteresse. Ses murs englobent palais et cathédrales, ainsi qu'un grand clocher édifié par le tsar Ivan le Terrible.

UNE SECONDE NAISSANCE
Des fresques de plantes dans des motifs abstraits très colorés ornent les murs et le toit de Saint-Basile. Ces fresques furent redécouvertes en 1954, cachées sous des couches de plâtre.

LE SAVIEZ-VOUS ?
Saint-Basile reçut le nom de Basile le Bienheureux, un saint homme qui se risqua à critiquer Ivan le Terrible. Il était si populaire que le tsar n'osa pas le punir.

LA CATHÉDRALE SAINT-BASILE
Quand le tsar Ivan le Terrible vainquit les Tartares, il fêta cet événement en ordonnant à ses architectes de construire une cathédrale qui serait un « hymne à la joie ». La construction de Saint-Basile débuta à Moscou en 1554. Cet édifice coloré était à l'origine peint en noir.

Peindre une fresque

Le peintre de fresques répand du plâtre humide sur un mur ou un toit puis peint rapidement afin que la peinture se noie dans le plâtre frais. Le seul moyen de corriger une faute consiste à gratter la couche de plâtre et à recommencer le dessin. La lumière du soleil ternit progressivement la couleur des fresques et l'humidité effrite le plâtre. On voit ici les fresques peintes à l'extérieur du monastère Voronet, en Moldavie roumaine. Elles sont remarquables car elles ont échappé aux dommages du temps pendant plus de trois siècles.

Pourquoi les premiers Russes ont-ils construit des églises avec des coupoles ?

L'islam est né

Au VIIe siècle, Mahomet fonda une nouvelle religion appelée l'islam, ce qui veut dire « soumission à Dieu ». Il exhorta ses fidèles à s'occuper des pauvres et des faibles. Il passa sa vie à enseigner dans les villes de Médine et de La Mecque et convertit la plupart des Arabes à ses croyances. Les adeptes de l'islam sont appelés musulmans. Ils interrompent leur activité cinq fois par jour pour prier. Le muezzin les invite à la prière du haut d'un minaret, une grande tour de la mosquée la plus proche. La mosquée, lieu de culte islamique, est décorée d'écritures arabes et de motifs géométriques. Les dessins d'animaux ou d'êtres humains n'y figurent jamais, car Mahomet souhaitait que cesse le culte de faux dieux. Les grands porches voûtés des mosquées et leurs hautes coupoles sont souvent pointus ou en forme de fers à cheval.

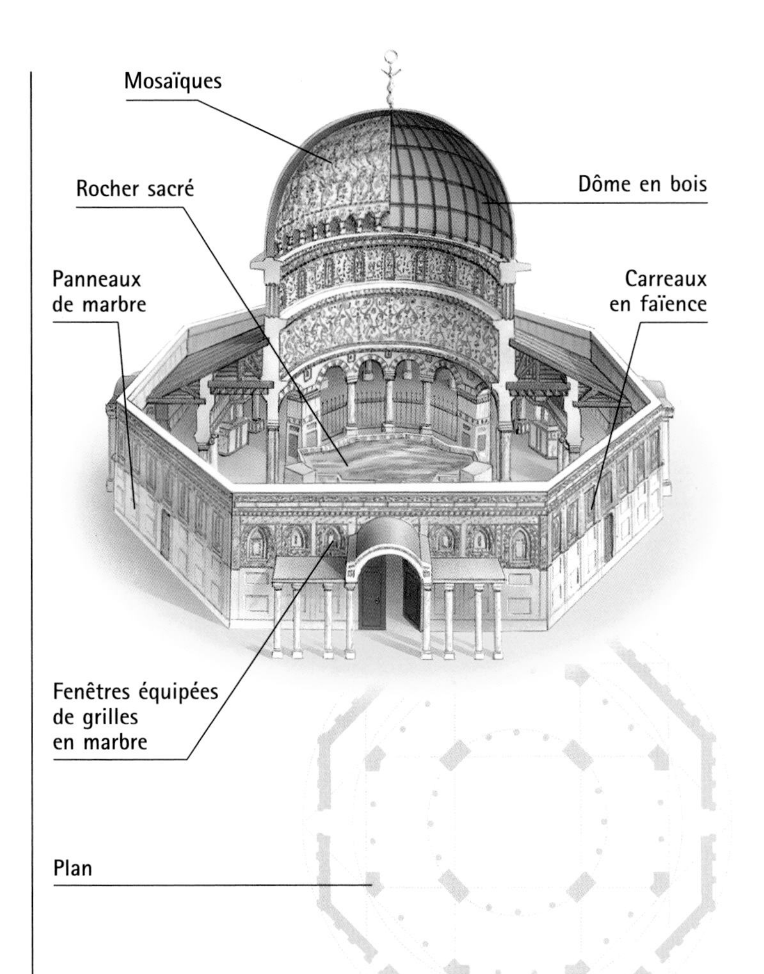

LE DÔME DU ROCHER
Cette mosquée, située à Jérusalem (Israël), tire son nom d'un dôme élevé construit sur un rocher, dans un site sacré pour les musulmans. Les pèlerins s'agenouillent pour prier sous les toits très bas qui entourent le rocher. Achevée en 691, la mosquée est le plus ancien monument islamique ayant survécu. La décoration date des siècles suivants.

DES HALTES TRÈS PRISÉES
Des lieux de repos pour les caravanes furent construits le long des routes et dans les villes marchandes. Chameaux, ânes et chevaux se reposaient dans les étables tandis que les marchands exposaient leurs produits.

Le jardin du paradis
La tombe s'ouvre sur un jardin car Mahomet, qui vivait dans un territoire désertique, avait représenté le paradis comme un jardin magnifique rafraîchi par des fontaines.

Des Tuiles Protectrices

Depuis des temps anciens, les peuples du Moyen-Orient fabriquent des tuiles avec de l'argile cuite. Ils vernissaient les tuiles ou les couvraient d'un mélange de liquide et de verre avant de les cuire à nouveau. Imperméables, ces tuiles furent d'abord employées pour protéger de la pluie les édifices en briques séchées. Cette image représente des tuiles en faïence : on y a peint un motif avant de les vitrifier.

LE MÉMORIAL
Un mur de marbre sculpté comme de la dentelle protège les tombes de Shah Jahan et de son épouse.

LE TAJ MAHAL
Shah Jahan régnait sur un État islamique dans l'Inde septentrionale. Quand sa femme Mumtaz Mahal décéda en 1630, il fit construire une magnifique tombe pour elle : le Taj Mahal, à Agra.

L'appel à la prière
Chaque minaret possède un escalier qui grimpe jusqu'au balcon situé au sommet de la tour. Un homme, le muezzin, appelle les musulmans à la prière du haut de ce balcon.

Double coupole
Une coupole haute de 24 m se trouve à l'intérieur d'une autre coupole de forme pointue mesurant 61 m. L'espace entre les deux coupoles est vide.

Un passage vers le tombeau
Le grand porche enfoncé dans le mur est orné de marbre coloré, découpé et assemblé comme les pièces d'un puzzle.

Comment sont décorés les monuments islamiques ?

LE PALAIS FORTERESSE
L'Alhambra, en Espagne, était une forteresse si intimidante que peu de sujets du prince se doutaient que ses murs abritaient un magnifique palais.

Tour des Dames

Salle des Deux-Sœurs

TALAKARI MADRASA
Cette voûte élevée mène à une université islamique, ou madrasa, construite au XVIIe siècle à Samarkand, en Ouzbékistan. Le dôme s'élève au-dessus de la mosquée. Des tuiles vitrifiées décorent et protègent les édifices, souvent bâtis en briques séchées.

• L'ORIENT RENCONTRE L'OCCIDENT •

L'islam s'étend

À partir du VIIIe siècle, la foi islamique se répandit le long des routes marchandes. L'islam atteignit la Chine en même temps que les caravanes de chameaux chargées de jade et de soie, qui empruntaient la route de la soie, à travers Samarkand, dans les déserts d'Asie centrale. L'islam s'étendit le long de la côte nord de la mer Méditerranée. Là, les marchands arabes échangeaient les épices et le coton indiens contre le verre et des vêtements à vendre en Inde, où la nouvelle foi s'implantait également. De puissants États islamiques grandirent le long de ces routes commerciales. Les souverains bâtirent d'imposantes forteresses sur des collines surplombant leurs villes. Les luxueux palais étaient conçus pour conserver la fraîcheur durant les longs étés. Séparées de l'extérieur par des rangées de colonnes, des pièces ombragées s'ouvraient sur des cours, abritant des bassins aux fontaines rafraîchissantes.

LA COUR DES LIONS
Des galeries ombragées entourent cette cour de l'Alhambra. La fontaine est encadrée de lions sculptés. Le prince faisait justice dans la salle du tribunal, au bout du bâtiment.

L'ALHAMBRA
L'Alhambra, ou château rouge, a été construite au XIVe siècle sur une haute corniche surplombant la ville de Grenade, en Espagne. De petits bâtiments et des cours agrémentées de jardins forment un palais au centre. Des citations religieuses écrites dans la langue arabe, très gracieuse, et des motifs géométriques complexes sont gravés dans le stuc des murs.

Décorations gravées

Les motifs gravés dans le stuc ornaient de nombreuses surfaces. Le stuc était fait de poussière de marbre, de chaux humide et de blanc d'œuf. On l'étalait sur une surface et on le laissait sécher avant d'ajouter d'autres couches. Les rangées de petites stalactites au-dessous de la voûte présentée ici ont été gravées dans sept couches de stuc.

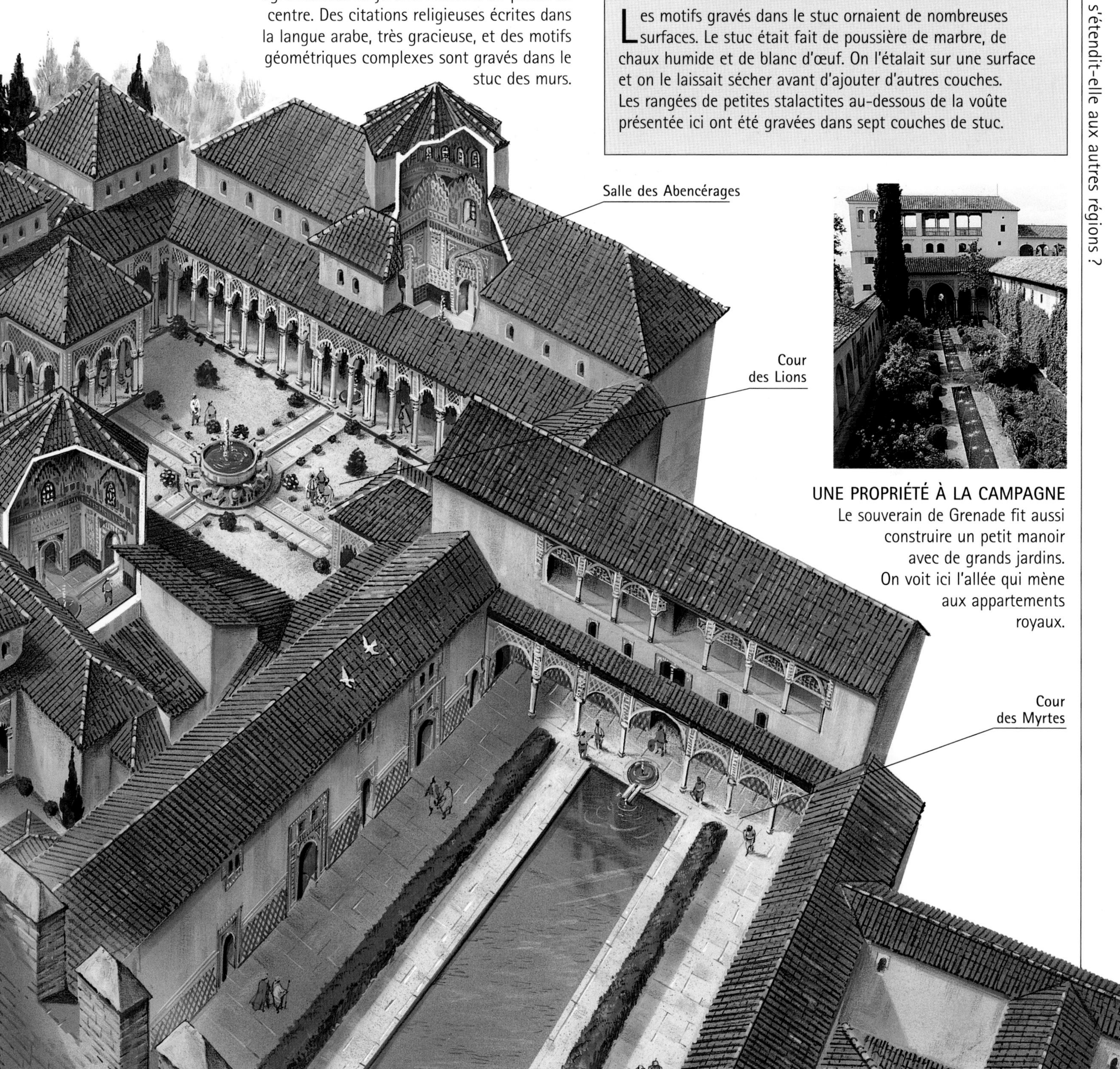

UNE PROPRIÉTÉ À LA CAMPAGNE
Le souverain de Grenade fit aussi construire un petit manoir avec de grands jardins. On voit ici l'allée qui mène aux appartements royaux.

Les prémices

Au début du IVe siècle ap. J.-C., la vie était devenue de moins en moins sûre dans l'Empire romain, envahi par des nations entières de nomades. Le culte chrétien fut réhabilité dans l'espoir que les chrétiens convertiraient le peuple de Rome et l'uniraient dans la lutte contre les envahisseurs. Les premières églises étaient des bâtiments rectangulaires qui pouvaient abriter de grandes foules. Elles ressemblaient beaucoup à la cour impériale de l'empereur romain mais la statue de celui-ci était remplacée par une mosaïque de Jésus. Les premières églises furent construites avec des toits soutenus par des fermes. Leurs colonnes de pierre provenaient souvent d'édifices abandonnés et ne correspondaient pas toujours à la hauteur ou au style de l'église. Les nomades se convertirent progressivement au christianisme et la religion s'étendit à travers l'Europe. Les peuples des régions forestières utilisèrent le bois pour construire leurs premières églises, qui ressemblaient aux temples préchrétiens.

Des animaux légendaires
Les dragons, que les Vikings avaient l'habitude de sculpter sur leurs navires et leurs maisons, sont présents sur les pignons de l'église Saint-André. Gravés dans le bois, ils se tiennent à côté du symbole chrétien de la croix.

L'ÉGLISE SAINT-ANDRÉ
Construite vers 1150, cette église chrétienne située à Borgund, en Norvège, mesure près de 15 m de haut. Les Norvégiens bâtissaient leurs églises de la même manière que leurs navires. Des planches ou des bâtons plats étaient fixés à une structure en bois afin de former les murs. Ici, 12 grands mâts soutiennent le plus élevé des trois toits. Un second toit recouvre les bas-côtés et le toit le plus bas abrite le porche.

SOUS LE TOIT
Les triangles sont utilisés de différentes manières pour protéger la toiture sur fermes de Saint-André du vent et de la neige. Juste sous l'arête du toit, deux poutres se croisent pour former un entrait retroussé.

Les Toits sur Fermes

Un toit en bois bâti sur des fermes couvrira une large pièce sans nécessiter de piliers au milieu. Les fermes sont composées de triangles, qui sont rigides puisque les angles d'un triangle ne peuvent changer, à moins que la longueur de ses côtés ne change d'abord. Une toiture sur fermes peut être formée d'un grand triangle ou de plusieurs petits. Le toit de l'église Saint-Botolph dans le Norfolk, en Angleterre, repose sur deux courtes poutres appelées blochets. Ici, on y a sculpté des anges. Le mur maintient une extrémité du blochet. Une jambette fixée à l'autre bout complète le triangle.

SANTA SABINA
Cette église ancienne située à Rome, en Italie, a été bâtie peu de temps après que les nomades wisigoths ont conquis la ville en 410, détruisant de nombreux édifices. Cette vue de l'église montre les colonnes corinthiennes, qui proviennent d'un monument abandonné.

Jésus en berger

Trois rois apportent des présents à l'enfant Jésus

DES MOSAÏQUES COLORÉES
Les premières églises chrétiennes étaient dépouillées à l'extérieur. Mais, à l'intérieur, les murs supérieurs étaient ornés de mosaïques représentant les grandes figures et scènes du christianisme. Celles-ci proviennent d'anciennes églises de Ravenne, en Italie.

Le Saviez-Vous ?

Les dragons sont des animaux imaginaires qui peuplent la mythologie de nombreuses cultures. Ils apparaissent sur des édifices du monde entier.

Pour en savoir plus, rendez-vous à la page 24 : *L'inspiration divine.*

Les monastères

Les communautés religieuses vivaient dans des monastères ou des abbayes. Ces lieux constituaient les principaux centres d'art et de culture en Europe, entre le Xe et le XIIe siècle. Une seule communauté comprenait souvent plusieurs centaines de moines ou de religieuses, qui partageaient leur journée entre le culte, l'étude et le travail. Beaucoup de monastères étaient situés aux frontières de l'Europe, au milieu de tribus nomades. Les moines bâtirent des églises à l'allure de forteresses, symbolisant des bastions de Dieu dans un monde malfaisant. On y venait pour se préserver de la violence et des guerres. Les lieux de séjour d'un monastère s'ouvraient sur un cloître – un passage couvert construit autour d'un jardin. Après la chute de l'Empire romain au Ve siècle, bien des techniques de construction furent oubliées. Les tailleurs de pierre réapprirent à bâtir des voûtes en berceau pour protéger du feu les toits des églises. Comme ces voûtes s'apparentaient à celles construites par les Romains, ce style est appelé art roman.

LIEUX DE REPOS
Ce dortoir, dans l'abbaye de la cathédrale de Durham, en Angleterre, possède un toit sur fermes, construit avec des poutres épaisses grossièrement taillées. L'après-midi, les moines lisaient à la lumière des grandes fenêtres.

À TABLE !
Les jours de fête, les moines faisaient rôtir un sanglier sur un feu au centre de cette cuisine de l'abbaye de Glastonbury, en Angleterre, dans le Somerset. D'autres plats cuisaient dans les cheminées placées aux quatre coins de la pièce.

Le dortoir
L'hiver, les moines se réunissaient près du feu dans la pièce chauffée, puis gravissaient les escaliers qui menaient au dortoir. Une porte de cette pièce permettait d'accéder à l'église car les moines priaient au milieu de la nuit.

Réfectoire
Deux fois par jour, les moines s'installaient dans le réfectoire pour manger leur modeste repas.

Lavabos

La culture des plantes
Les moines travaillaient dans les champs des fermes voisines du monastère. Ils cultivaient également un petit jardin d'herbes aromatiques où poussaient des plantes médicinales.

Les Pèlerinages

Les gens voyageaient peu à cette époque mais ils parcouraient parfois des centaines de kilomètres afin de se recueillir sur la sépulture d'un saint (comme à Saint-Jacques-de-Compostelle, en Espagne, que l'on voit ici). Les pèlerins dormaient dans des maisons d'hôtes monastiques et priaient dans des églises le long du chemin. Ils ramenaient de nouvelles idées, concernant notamment les techniques de construction des églises.

Le Saviez-Vous ?

Les gens aimaient vivre près d'un monastère, qui abritait souvent l'unique hôpital ou la seule école de la région. En outre, les voyageurs faisaient halte dans les maisons d'hôtes situées à l'intérieur du monastère.

Le cellier
Les moines fabriquaient du fromage, des bougies, du jambon salé et de la bière brassée qu'ils entreposaient dans le cellier avec tous les produits dont la communauté avait besoin.

L'ABBAYE MARIA LAACH
Cette abbaye romane du XIIe siècle située à l'ouest de Coblence, en Allemagne, possède six tours ornées de pierre noire. Cette illustration présente un cloître typique jouxtant l'abbaye.

L'ALCAZAR DE SÉGOVIE

Les grandes villes construisaient souvent des châteaux fortifiés pour se protéger. Cet « alcazar », ou château, situé à Ségovie, en Espagne, gardait la ville du haut de son rocher isolé.

LE CHÂTEAU DE CONWAY

Le roi Edouard Ier d'Angleterre fit construire un château à Conway, au pays de Galles. Une main-d'œuvre de 1500 hommes acheva la plus grande partie du château entre 1283 et 1287. Le roi arrivait souvent dans son navire par les eaux du château, tandis que les habitants de la ville et les chevaliers entraient par le pont-levis.

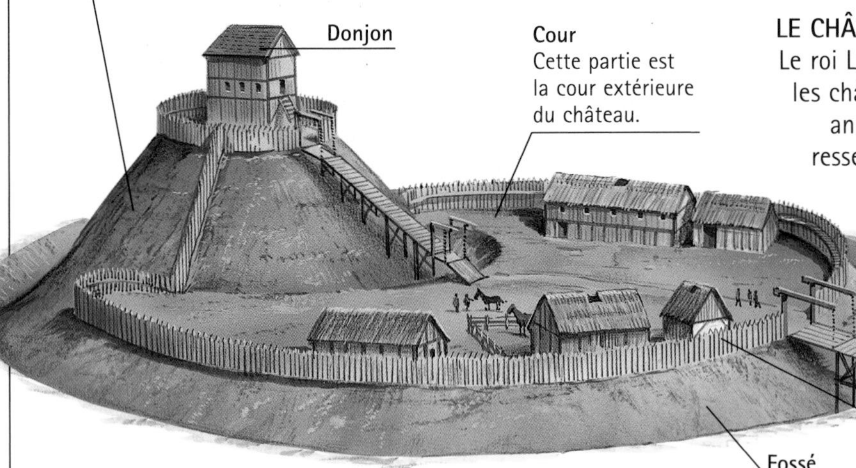

LE CHÂTEAU DE NEUSCHWANSTEIN

Le roi Ludwig de Bavière, fasciné par les châteaux, fit construire dans les années 1800 ce palais rural, qui ressemble à un château médiéval.

LES MOTTES FÉODALES

On construisait un château en creusant un fossé autour d'un terrain puis en l'entourant d'une palissade en bois faite de poteaux. On bâtissait une colline, ou motte, avec la terre provenant du fossé et l'on y érigeait un donjon, parfois lui aussi entouré d'une palissade ou d'un fossé. C'est là que vivait le seigneur du château.

Un sommeil en or

Les chambres royales occupaient deux étages de la tour du roi. Le trésor était caché dans une cave accessible par une trappe sur le sol.

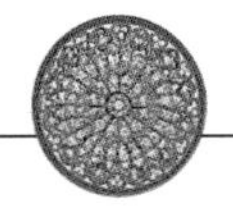

Royales forteresses

Durant le Moyen Âge, les Européens se firent souvent la guerre. Peuples et chevaliers se battaient entre eux, jusqu'à ce que des rois puissants les vainquent. Les premières forteresses royales étaient faites de bois. Les premiers châteaux de pierre étaient d'uniques tours carrées appelées donjons, construites sur des terrains élevés et entourées de palissades et de fossés. La conception des châteaux changea avec celle des armes. Des murs de pierre de 5 m d'épaisseur protégèrent alors les châteaux des béliers, des flèches, des pierres et du goudron enflammé. On emplissait d'eau les fossés, les transformant en douves, afin que l'ennemi ne puisse pas creuser un tunnel sous le mur pour le faire s'effondrer. Les archers, postés dans des tours rondes qui formaient saillie sur les murs, envoyaient leurs flèches de trois côtés.

Un départ précipité
Les prisonniers étaient souvent conduits dans les cachots de la prison par une porte dérobée de la grande salle.

La grande salle
C'est là que se tenaient les banquets et que les prisonniers étaient amenés au roi.

Le Principe du Levier

Hommes et animaux peuvent soulever des charges très lourdes sans équipements puissants, à l'aide du levier. Ici, un page s'avance sur l'extrémité la plus longue d'une planche placée sur un support appelé point d'appui. Son poids pousse le bout de la planche jusqu'au sol et soulève le chevalier plus lourd de l'autre côté. La roue qui hissait des pierres au sommet des tours du château utilisait également le principe du levier.

Un ingénieux système
Un homme gravissait les escaliers pour attacher une corde autour d'une roue située au centre de la tour. Ce système permettait de hisser des pierres fixées à l'extrémité de la corde.

La croix
Le sommet de la croix trône à 137 m au-dessus du sol, plus haut qu'un immeuble moderne de 30 étages.
La croix est posée sur une lanterne, conçue pour diffuser la lumière dans le dôme.

SOUS LE DÔME

Les fidèles se rassemblent autour de l'autel couronné par un baldaquin en bronze de style baroque. La sépulture de saint Pierre se trouve sous l'ouverture dans le sol.

À L'INTÉRIEUR

L'intérieur de Saint-Pierre est décoré dans le style baroque. La nef se trouve entre l'entrée et l'autel. L'ensemble est plus long que le plan dessiné par Michel-Ange.

Un dôme flottant
Le dôme semble flotter au-dessus de l'édifice. Cet effet vient du fait qu'il n'y a pas de support disposé directement sous le dôme.

Exercices de style

Au XVe siècle, de riches et ambitieux citadins italiens entreprirent de créer un mode de vie entièrement nouveau. Ils avaient pour modèles les civilisations antiques de Grèce et de Rome, que leurs savants et artistes étudièrent et copièrent avec soin. Cette période s'appelle la Renaissance. Né en Italie, le mouvement s'étendit à d'autres parties de l'Europe. Dans les années 1520, Martin Luther proposa une réforme de l'Église. Il fut rejoint par la suite par d'autres penseurs catholiques et protestants tels que Jean Calvin et Ignace de Loyola. Leurs activités religieuses produisirent la Réforme, qui divisa le christianisme européen en de nombreux groupes. Les changements spectaculaires de l'époque inspirèrent trois nouveaux styles d'architecture. Tandis que les architectes de la Renaissance usaient de formes simples telles que les cercles, les carrés et les triangles, le nouveau style maniériste employait des motifs compliqués pour exprimer la confusion de l'époque. Plus récent, le style baroque est remarquable par ses gigantesques colonnes, ses courbes hardies, ses contrastes saisissants et ses statues flamboyantes et théâtrales.

SANTA MARIA
Cette petite église de Todi, en Italie, bâtie dans le style Renaissance, fut conçue et décorée en utilisant seulement quelques formes simples. L'architecte Donato Bramante voulait que Saint-Pierre-de-Rome soit une version agrandie de cette église.

Plan de Bramante

Plan de Michel-Ange

DEUX VERSIONS DE SAINT-PIERRE
Cette pièce montre une image de Saint-Pierre d'après le dessin de Bramante, premier architecte de l'église. Michel-Ange changera le plan d'origine pour y inclure un dôme plus imposant.

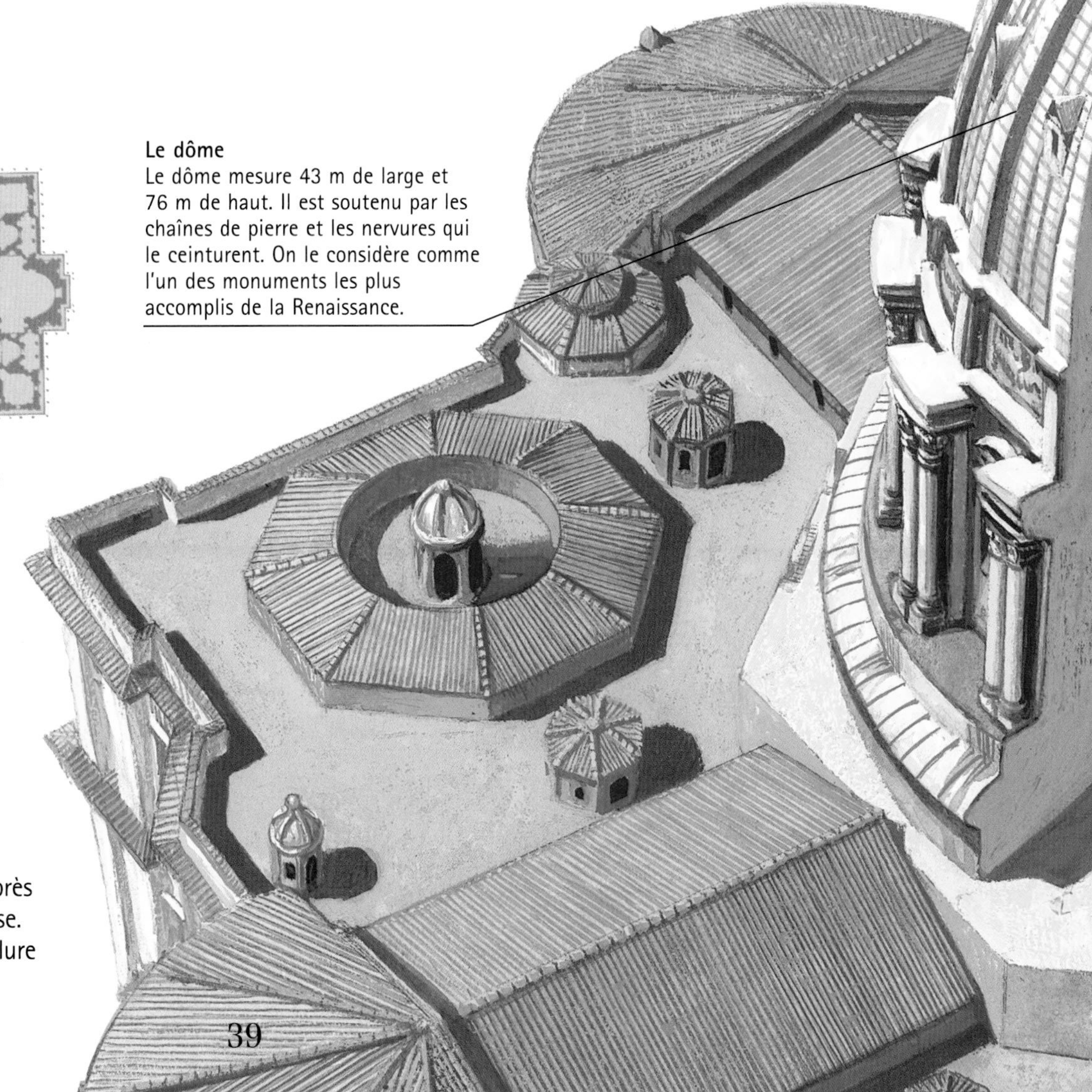

Le dôme
Le dôme mesure 43 m de large et 76 m de haut. Il est soutenu par les chaînes de pierre et les nervures qui le ceinturent. On le considère comme l'un des monuments les plus accomplis de la Renaissance.

Les cathédrales

Les riches villes européennes du XIIe siècle bâtissaient de grandes cathédrales. Elles étaient à la fois la demeure de Dieu et un lieu où les citadins se rassemblaient en sa présence. De hauts murs de verre ornés de vitraux entouraient les fidèles. La lumière du soleil révélait les enseignements sacrés peints sur les vitres colorées, tout comme Dieu était la lumière qui leur montrait le chemin à suivre. De hautes structures avec de fins supports en pierre soutenaient les murs de verre. Les plafonds de pierre, faits de voûtes légères, s'élevaient souvent à près de 40 m du sol. Les arcs-boutants ou autres éléments d'une cathédrale, qui peuvent passer à première vue pour un ornement, font en fait partie de la structure qui soutient l'ensemble. Des dessins sculptés d'êtres humains, d'animaux ou de plantes ornent la structure. Ces cathédrales introduisirent un style architectural appelé gothique.

LES GARGOUILLES
La grenouille et le monstre ailé mythique sont des gargouilles. il s'agit en fait de conduits qui rejettent l'eau du toit de la cathédrale.

LA CONSTRUCTION GOTHIQUE
Les plafonds gothiques en pierre sont faits d'arcs et de voûtes qui se projettent vers l'extérieur. Des contreforts sont nécessaires pour maintenir les pierres de la voûte. Ils se trouvent à l'extérieur des édifices gothiques et s'appuient contre l'intérieur de la voûte à l'aide de maçonneries appelées arcs-boutants.

Le Saviez-Vous ?

Chaque habitant de la cité aidait à construire la cathédrale, assez grande pour accueillir tous les citadins. Sur le chemin de la ville, les pèlerins s'arrêtaient à la carrière pour aider à porter les pierres jusqu'au chantier.

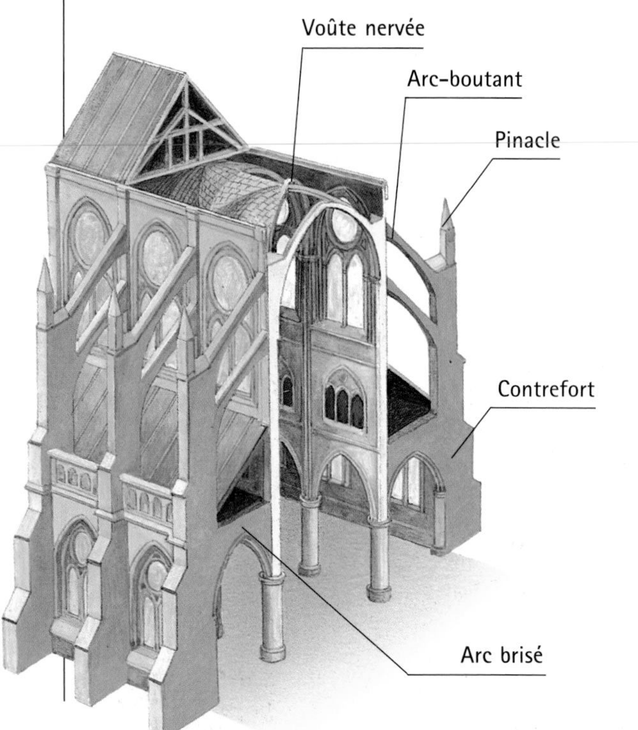

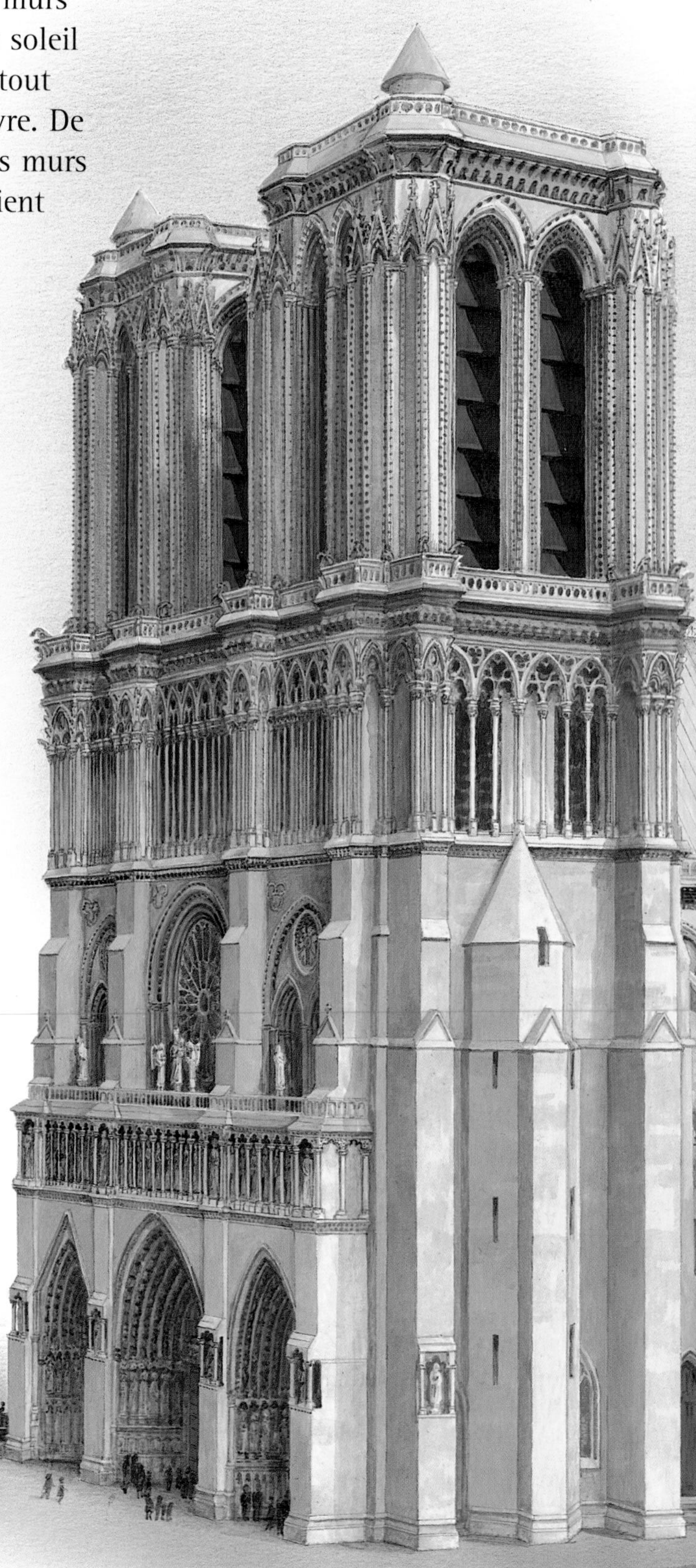

NOTRE-DAME DE PARIS
L'ombre de Notre-Dame se reflète dans la Seine. Les sculptures des saints et des anges entourent les portes placées sous les hautes tours. Les travaux de construction de la cathédrale débutèrent en 1163 pour s'achever près de 150 ans plus tard.

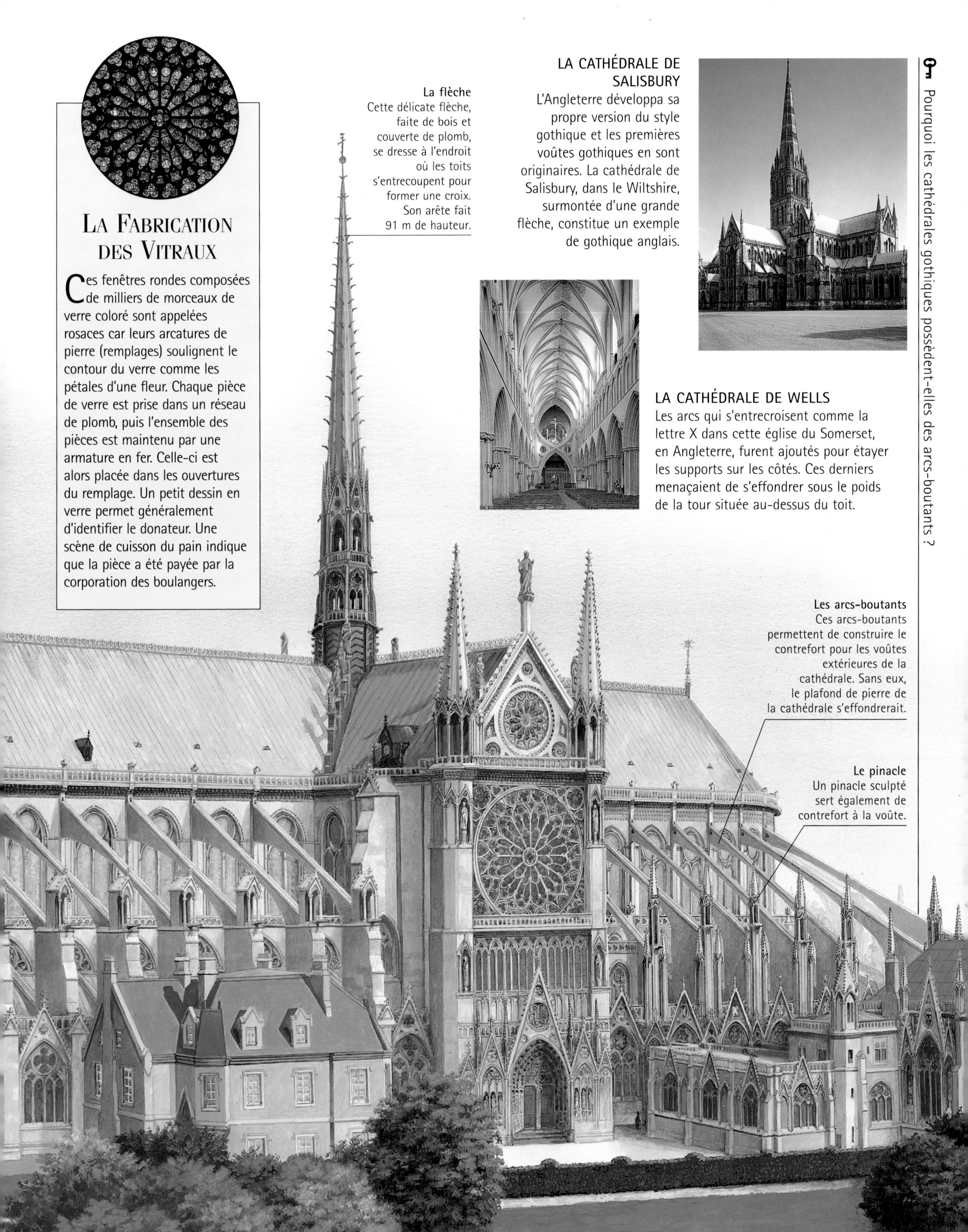

La Fabrication des Vitraux

Ces fenêtres rondes composées de milliers de morceaux de verre coloré sont appelées rosaces car leurs arcatures de pierre (remplages) soulignent le contour du verre comme les pétales d'une fleur. Chaque pièce de verre est prise dans un réseau de plomb, puis l'ensemble des pièces est maintenu par une armature en fer. Celle-ci est alors placée dans les ouvertures du remplage. Un petit dessin en verre permet généralement d'identifier le donateur. Une scène de cuisson du pain indique que la pièce a été payée par la corporation des boulangers.

La flèche
Cette délicate flèche, faite de bois et couverte de plomb, se dresse à l'endroit où les toits s'entrecoupent pour former une croix. Son arête fait 91 m de hauteur.

LA CATHÉDRALE DE SALISBURY

L'Angleterre développa sa propre version du style gothique et les premières voûtes gothiques en sont originaires. La cathédrale de Salisbury, dans le Wiltshire, surmontée d'une grande flèche, constitue un exemple de gothique anglais.

LA CATHÉDRALE DE WELLS

Les arcs qui s'entrecroisent comme la lettre X dans cette église du Somerset, en Angleterre, furent ajoutés pour étayer les supports sur les côtés. Ces derniers menaçaient de s'effondrer sous le poids de la tour située au-dessus du toit.

Les arcs-boutants
Ces arcs-boutants permettent de construire le contrefort pour les voûtes extérieures de la cathédrale. Sans eux, le plafond de pierre de la cathédrale s'effondrerait.

Le pinacle
Un pinacle sculpté sert également de contrefort à la voûte.

Pourquoi les cathédrales gothiques possèdent-elles des arcs-boutants ?

Le Saviez-Vous ?

La cité du Vatican est le pays indépendant le plus petit du monde. Le Vatican possède sa monnaie et sa poste propres. Les timbres représentent souvent des monuments, des personnages célèbres et les trésors artistiques du Vatican.

L'ÉGLISE SAINT-CHARLES
Cette église située en Autriche, à Vienne, possède une large façade, de grandes colonnes imposantes et de nombreuses statues flamboyantes, caractéristiques du style baroque.

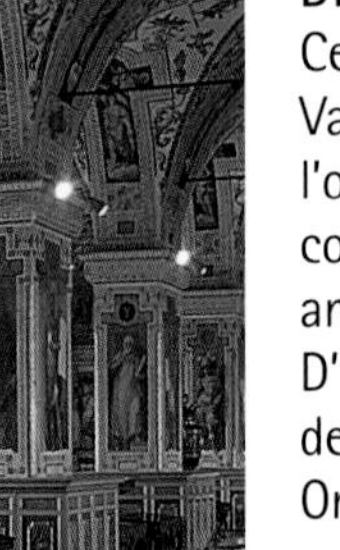

DES CHEFS-D'ŒUVRE
Ce musée de la cité du Vatican a été construit à l'origine pour abriter les collections de sculptures antiques du pape Jules II. D'autres papes y ajoutèrent des œuvres d'art anciennes. On trouve désormais dans ce musée des œuvres de styles très variés.

Le Génie de Michel-Ange

La chapelle Sixtine, située dans l'État du Vatican, est l'endroit où sont élus les papes. Elle est célèbre pour les nombreuses fresques qui ornent ses murs et plafonds, peintes par certains des plus grands artistes de l'époque. Michel-Ange s'est toujours considéré comme un sculpteur mais c'était aussi un architecte, un ingénieur et un peintre. Il passa plus de quatre ans à travailler sur de grands échafaudages pour peindre les nombreuses scènes issues des Saintes Écritures figurant sur le plafond de la chapelle. Un extrait de la fresque est présenté ci-dessous.

De combien de styles architecturaux différents est composée la basilique Saint-Pierre ?

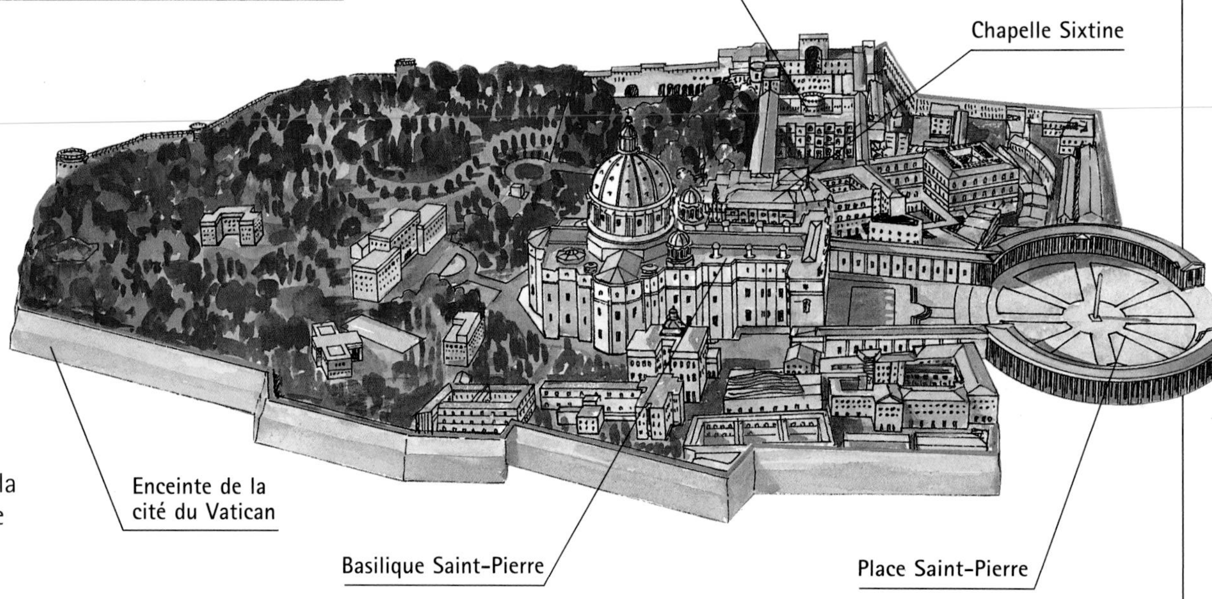

Place Saint-Pierre
Deux bras composés de quatre rangées de colonnes encerclent la place, située devant l'église. La place est ovale, forme favorite des architectes baroques.

UNE CITÉ DANS LA CITÉ
La cité du Vatican est entourée par la cité de Rome. La petite ville fortifiée autour de Saint-Pierre regorge de musées et de palais célèbres.

Pour en savoir plus, rendez-vous à la page 24 : *L'inspiration divine.*

LA BASILIQUE SAINT-PIERRE

Onze grands architectes ont dirigé la construction de la basilique Saint-Pierre, à Rome. Elle comprend trois différents styles architecturaux : Renaissance, maniériste et baroque. La construction débuta en 1506 et fut achevée plus d'un siècle plus tard.

L'obélisque
900 ouvriers et 240 chevaux ont porté cet obélisque à travers Rome, avant de l'ériger au centre de la place.

Une congrégation de saints
140 statues de saints et d'anges sont tournées vers la place. Ces statues sont disposées sur le toit de la colonnade – une rangée de colonnes régulièrement réparties.

UN DESSIN COMPLIQUÉ

La façade de Saint-Pierre est dessinée dans le style maniériste. Elle possède des fenêtres et des portes de différentes tailles et formes. Elle est également plus large que l'église et suffisamment haute pour cacher en partie le grand dôme.

LE SALON DE MARS
Louis XIV recevait les membres de la cour trois soirées par semaine dans une suite de six pièces, dont le salon de Mars. Mars était le dieu romain de la Guerre et le plafond de la pièce était décoré de scènes de batailles.

LA CHAPELLE
Le roi s'asseyait à son balcon privé dans l'église du palais. Les membres de la cour se rassemblaient au-dessous de lui devant l'autel.

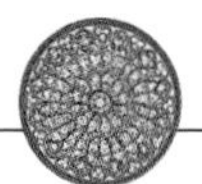

• L'ESSOR DE L'EUROPE •

Les palais

Vers 1660, un siècle de destructions dues aux invasions et aux guerres civiles venait de s'achever en Europe. Dans plusieurs pays, les rois prirent le pouvoir politique et militaire. Ces souverains, appelés monarques absolus car ils revendiquaient un pouvoir illimité sur le peuple, étaient populaires s'ils usaient de leur pouvoir pour apporter la paix. Les rois s'éloignèrent des villes qui s'étaient rebellées contre eux et firent construire de gigantesques palais à la campagne pour leurs gouvernements. De magnifiques salles de réception, conçues pour les cérémonies de la cour, étaient ornées de tapisseries, de peintures et de statues qui louaient les victoires du roi ou rappelaient les glorieux exploits des puissants empereurs romains et des mythiques dieux grecs. Les ouvriers les plus habiles de chaque nation décorèrent le palais de leur souverain, et en firent la vitrine des produits les plus remarquables du pays.

LE CHÂTEAU DE VERSAILLES
Le château de Versailles fut la première demeure non fortifiée construite en Europe depuis la chute de l'Empire romain. En 1661, Louis XIV commença à faire bâtir le palais autour d'un pavillon de chasse où il aimait se rendre étant enfant. Il exigea que les hommes les plus puissants du royaume vivent là, sous son autorité. Festivités et cérémonies militaires avaient lieu dans les immenses cours, comme le montre cette peinture.

LA GALERIE DES GLACES
La longue et étroite salle de réception du château de Versailles possède de grandes fenêtres sur un long mur, qui font face à des miroirs placés sur le mur opposé. La vive lumière du soleil et les ombres glissant sur les miroirs éblouissent tant qu'on distingue difficilement le fond de la pièce. Cette salle a inspiré une galerie des glaces dans chaque palais d'Europe pendant plus d'un siècle.

Le Roi Soleil
Louis XIV, le monarque absolu de la France de 1643 à 1715, choisit le Soleil comme symbole. Il pensait que sa gestion du pays était aussi indispensable à la France que le Soleil, sans lequel aucune vie n'est possible, l'est à la Terre. À l'époque, on venait d'admettre que le Soleil, et non la Terre, était au centre du système solaire. À Versailles, toutes les routes et les allées de jardin partaient du château comme les rayons du Soleil.

UNE ENTRÉE MAJESTUEUSE
Les souverains de petits pays tentaient de paraître plus puissants en édifiant d'imposants palais dans l'esprit du château de Versailles. Un carrosse tiré par quatre chevaux pouvait pénétrer dans ce palais de Würzburg, en Allemagne. Ses occupants n'avaient plus ensuite qu'à emprunter l'escalier avec dignité pour gagner les salles de réception à l'étage.

Pour en savoir plus, rendez-vous à la page 46 :
L'ère de la légèreté.

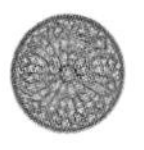

L'AMALIENBURG
Dans les années 1730, le souverain de Bavière fit construire ce pavillon de chasse dans les jardins du château de Nymphenburg à Munich, pour sa femme Maria Amalia. Un escalier reliait sa chambre à une terrasse de tir sur le toit.

LE CHÂTEAU DE NYMPHENBURG
Trois édifices en forme de cubes reliés par des ponts composent le château de Nymphenburg, de style baroque, à Munich. L'Amalienburg est caché au milieu des arbres sur la droite.

• L'ESSOR DE L'EUROPE •

L'ère de la légèreté

Le XVIIIe siècle fut une période pleine d'optimisme et d'insouciance. Les nouvelles idées scientifiques laissaient espérer que famine et maladies seraient vaincues, et l'on respirait le bonheur de vivre. Les statues des églises représentaient parfois des saints dansant ou des anges se balançant sur des vignes. Certains s'éloignaient de la trépidante vie citadine pour se retirer à la campagne. Ils y invitaient leurs amis pour admirer le paysage, écouter de la musique, discuter de la science ou se divertir. Ces refuges campagnards étaient construits dans un nouveau style architectural délicat, appelé rococo. Des couleurs roses, jaunes ou pastel égayaient chaque pièce. Les architectes rococo, qui voulaient donner une apparence de légèreté à leurs édifices, recouvraient les murs et les plafonds avec de délicates plantes grimpantes en stuc – un type de plâtre qu'ils modelaient avec les mains. Oiseaux et papillons en stuc volaient au milieu des plafonds.

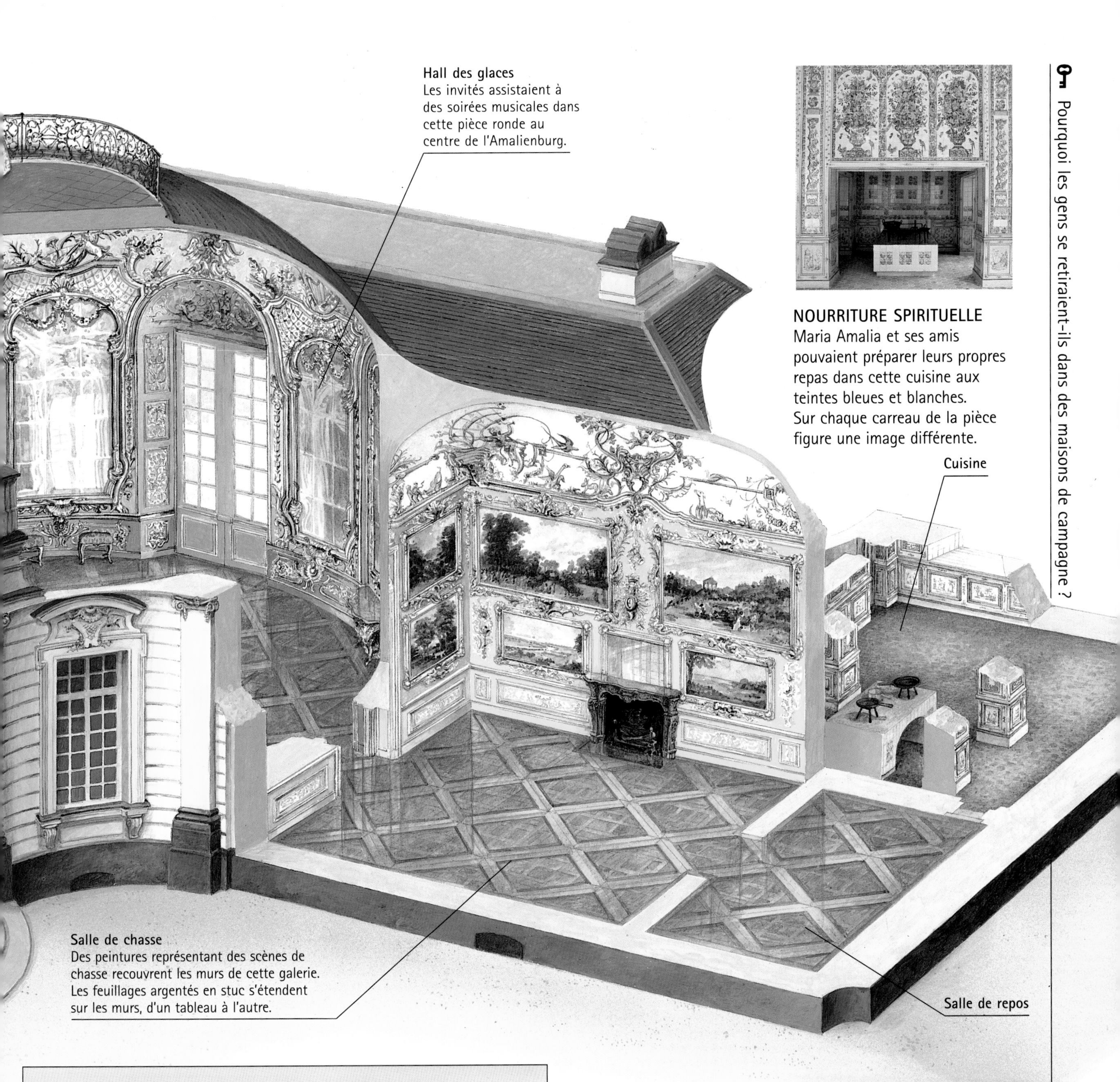

Hall des glaces
Les invités assistaient à des soirées musicales dans cette pièce ronde au centre de l'Amalienburg.

NOURRITURE SPIRITUELLE
Maria Amalia et ses amis pouvaient préparer leurs propres repas dans cette cuisine aux teintes bleues et blanches. Sur chaque carreau de la pièce figure une image différente.

Cuisine

Salle de chasse
Des peintures représentant des scènes de chasse recouvrent les murs de cette galerie. Les feuillages argentés en stuc s'étendent sur les murs, d'un tableau à l'autre.

Salle de repos

Miroir, mon Beau Miroir !

Les Romains furent les premiers à utiliser le verre, inventé en Mésopotamie, pour les fenêtres. Au XVIIe siècle, les Français fabriquèrent un verre à vitre très épais en versant du verre liquide sur une table et en le roulant pour qu'il devienne plat. Quand le verre avait durci, on le polissait afin de fabriquer des miroirs et de grandes vitres. Les miroirs ornaient très souvent l'intérieur des édifices rococo.

DES NICHES DE LUXE
Les chiens de chasse dormaient dans des niches au pied des murs de cette pièce de l'Amalienburg. Les fusils étaient entreposés dans les meubles au-dessus.

Pour en savoir plus, rendez-vous à la page 50 : *Grandeur nature.*

Entre ciel et terre

Les gratte-ciel datent de la révolution industrielle, qui débuta en Angleterre au XVIIIe siècle. Les nouvelles inventions révolutionnèrent le mode de vie. Les machines à vapeur, puis l'électricité, produisaient assez d'énergie pour effectuer plusieurs fois le travail auparavant exécuté par des hommes ou des animaux. Une nouvelle méthode de fonte du fer permit d'en produire de gigantesques quantités à bas prix. D'autres inventions offrirent aux constructeurs l'acier, un matériau encore plus solide que le fer. Face à la croissance des villes, les gratte-ciel apportèrent une solution aux problèmes de surpeuplement. L'ossature des gratte-ciel fut d'abord construite en fer, puis en acier. Un grand édifice peut aisément s'effondrer ou s'incliner sous son propre poids. C'est pourquoi les premiers gratte-ciel étaient souvent construits sur de solides roches, comme c'est le cas à Manhattan, une île rocheuse de New York.

LE PONT DE COALBROOKDALE
Le monde bénéficia d'un nouveau matériau de construction quand on développa le fer bon marché. En 1779, les Anglais bâtirent le premier pont en fer à Coalbrookdale, dans le Shropshire.

Le Saviez-Vous ?

Le premier gratte-ciel a été construit en 1884 dans la ville de Chicago, aux États-Unis. Il ne possédait que dix étages.

LA TOUR EIFFEL
Cette tour faite de fer et d'acier fut construite pour l'exposition universelle de Paris en 1889. Quand on inventa la radio, la tour commença sa longue carrière d'antenne. Elle véhicula le premier appel radiotéléphonique transatlantique.

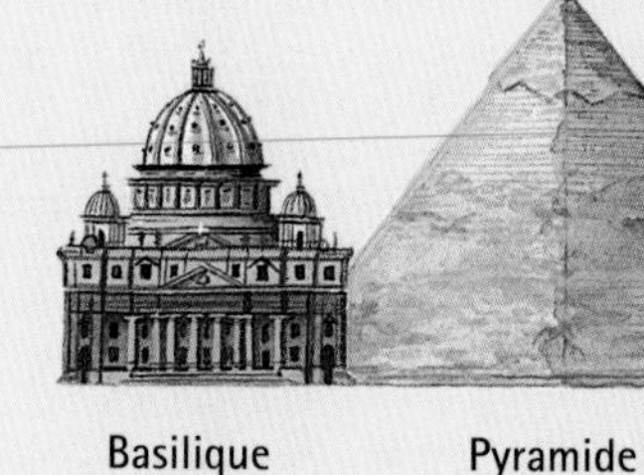

Basilique Saint-Pierre, Italie 1612	Pyramide de Kheops, Égypte 2700 av. J.-C.	Tour Eiffel, France 1889	Empire State Building États-Unis 1931	Sears Tower, États-Unis 1974	CN Tower, Canada 1976
138 m	146 m	300 m	381 m	443 m	550 m

Les Grands de ce Monde

Pendant plus de 4500 ans, la pyramide de Kheops, en Égypte, a été le plus grand édifice du monde. Puis on a construit la tour Eiffel à Paris en 1889. Aujourd'hui, un peu partout dans le monde, gratte-ciel et tours se disputent des records de hauteur.

Le faîte
Le style art déco, nouveauté des années 1930, inspira les fenêtres en triangle. Celles-ci animent l'intérieur des arcs superposés sur le faîte.

LA VIE AU SOMMET

Les Indiens d'Amérique furent parmi les premiers ouvriers à travailler au sommet des gratte-ciel. Ils se trouvaient à des hauteurs considérables, juchés sur des poutres d'acier larges de 20 cm !

MONTÉE EN PUISSANCE

Les machines à vapeur actionnaient les premiers ascenseurs, utilisés alors pour les marchandises. Les premiers ascenseurs pour passagers furent installés en 1857 lorsqu'on eut trouvé un moyen d'empêcher leur chute en cas de rupture d'un câble. Vers 1889, ils étaient actionnés par des moteurs électriques. Les portes de l'ascenseur du bâtiment Chrysler (ci-dessus) sont décorées dans le plus pur style art déco.

Dans le vent !
Une solide armature est construite à l'intérieur du bâtiment pour les ascenseurs. Cette ossature aide également l'édifice à résister aux poussées et aux torsions du vent.

LE BÂTIMENT CHRYSLER

Walter Chrysler fit construire ce gratte-ciel de 77 étages à New York, aux États-Unis, durant la grande dépression mondiale des années 1930. Il offrit ainsi un emploi bienvenu à de nombreux ouvriers du bâtiment. L'édifice était le siège central de son empire automobile et un monument à la gloire de son succès.

Grandeur nature

Au début du XXe siècle, les nouvelles inventions avaient permis la création de services, tels que l'éclairage des rues ou le chemin de fer, dans de nombreuses villes européennes. Gares, parcs et maisons étaient souvent construits dans un style novateur appelé art nouveau. Les Allemands le nommaient « Jugendstil », ou style de la jeunesse, les Espagnols « Modernismo ». Les architectes de l'art nouveau étaient inspirés par la nature. Les verrières colorées s'animaient d'oiseaux et de fleurs aux teintes vives. Les balustrades en fer se tordaient comme des plantes grimpantes. L'architecte modernismo Antonio Gaudi copia la nature en bannissant les lignes et angles droits de ses édifices, qui semblent avoir été sculptés dans de l'argile. Si les constructeurs pouvaient créer des formes aussi particulières, c'est grâce à la révolution industrielle qui leur avait donné le fer, l'acier et le béton.

LE MÉTRO PARISIEN
La coquille de verre et la structure en fer de cette entrée de métro ressemblent au tronc et aux branches d'un arbre. Cette ouverture est l'une des nombreuses entrées de métro parisiennes construites dans le style art nouveau.

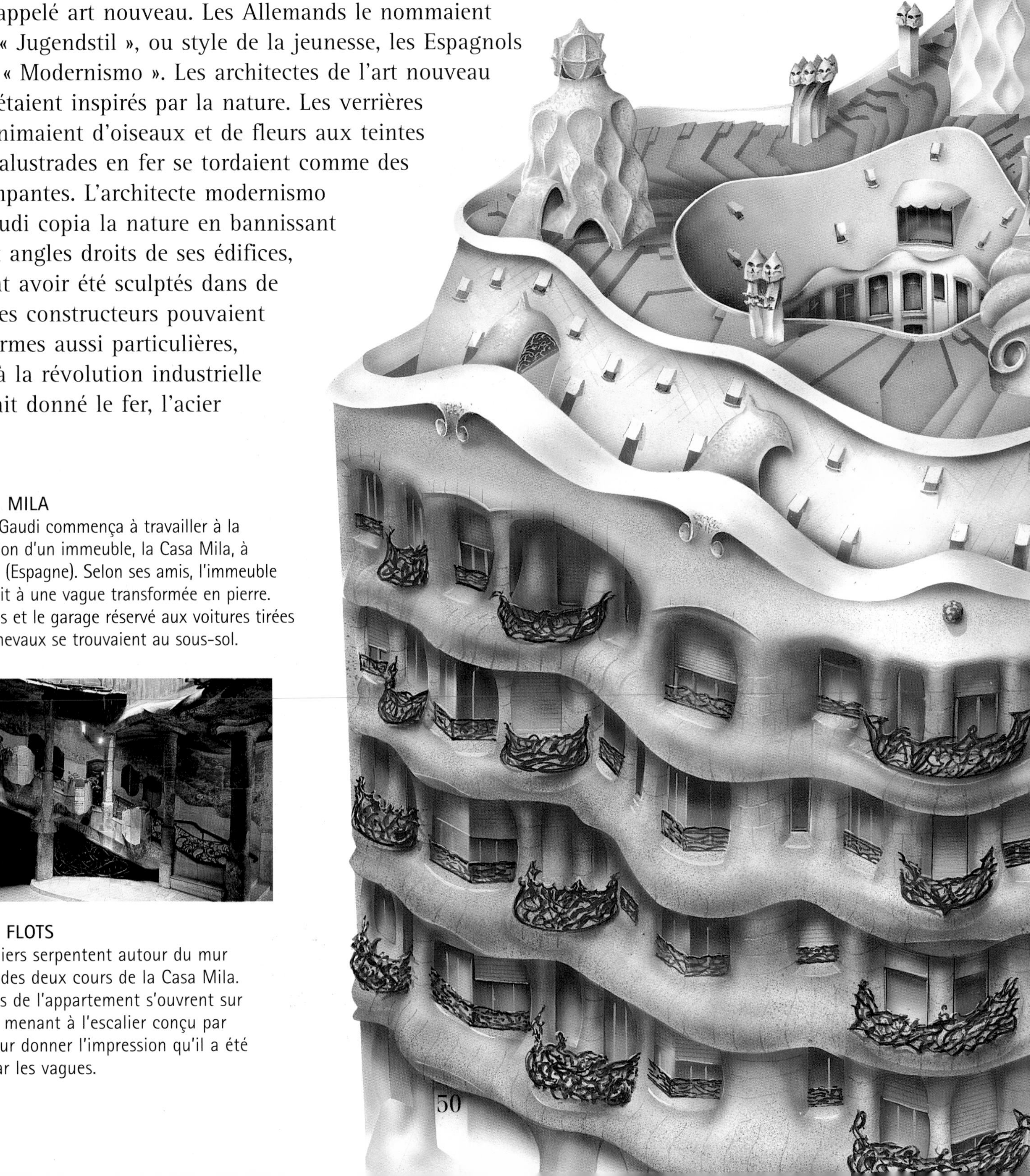

LA CASA MILA
En 1906, Gaudi commença à travailler à la construction d'un immeuble, la Casa Mila, à Barcelone (Espagne). Selon ses amis, l'immeuble ressemblait à une vague transformée en pierre. Les écuries et le garage réservé aux voitures tirées par des chevaux se trouvaient au sous-sol.

SUR LES FLOTS
Des escaliers serpentent autour du mur inférieur des deux cours de la Casa Mila. Les portes de l'appartement s'ouvrent sur un palier menant à l'escalier conçu par Gaudi pour donner l'impression qu'il a été creusé par les vagues.

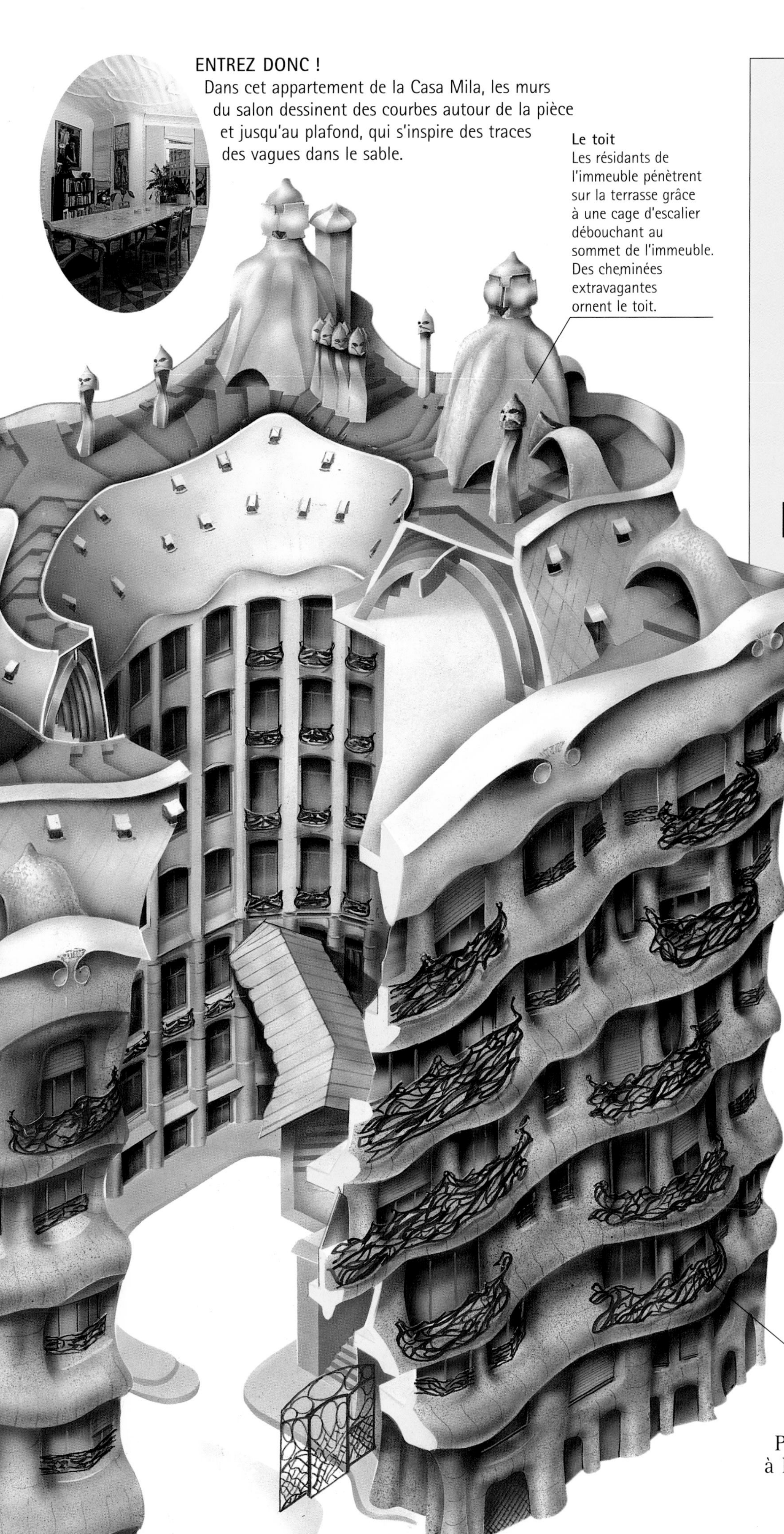

ENTREZ DONC !
Dans cet appartement de la Casa Mila, les murs du salon dessinent des courbes autour de la pièce et jusqu'au plafond, qui s'inspire des traces des vagues dans le sable.

Le toit
Les résidants de l'immeuble pénètrent sur la terrasse grâce à une cage d'escalier débouchant au sommet de l'immeuble. Des cheminées extravagantes ornent le toit.

Les balcons
La Casa Mila s'inspire du bord de mer. Les balustrades en fer des balcons ressemblent à des amas d'algues.

D'Après Nature

Les architectes de l'art nouveau se dressaient contre le fait de copier les monuments historiques tels que le Parthénon, en Grèce. Ils étudiaient la nature et s'inspiraient de ses formes. Le Belge Victor Horta, un des fondateurs de l'art nouveau, imitait la vie végétale à l'aide du verre et du métal. Dans l'hôtel Tassel, construit par Horta et présenté ici, la lumière d'un dôme en verre coloré se reflète sur la cage d'escalier faite de formes en fer imitant les plantes grimpantes.

NOTRE-DAME-DU-HAUT
La forme des collines environnantes inspira la conception de Notre-Dame-du-Haut, à Ronchamp, en France. L'architecte suisse Le Corbusier construisit cette église dans les années 1950.

Pour en savoir plus, rendez-vous à la page 46 : *L'ère de la légèreté*.

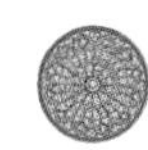

FALLINGWATER
L'architecte du musée Guggenheim, Frank Lloyd Wright, a dessiné également des maisons qui se nichent dans leurs décors naturels. Fallingwater, située à Bear Run, en Pennsylvanie, imite les saillies des roches sur lesquelles coule la cascade.

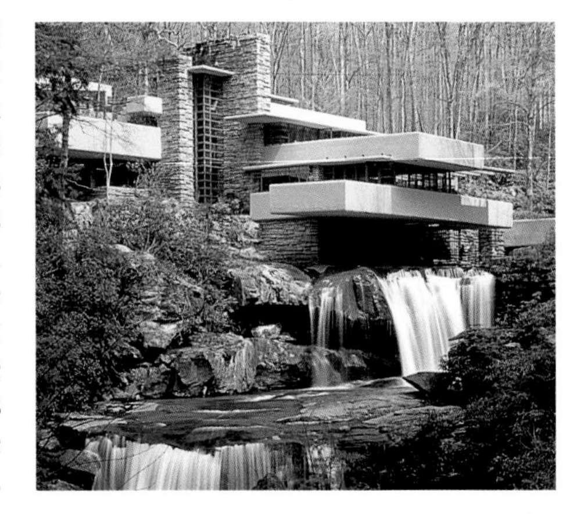

LE MUSÉE GUGGENHEIM
La fondation Solomon R. Guggenheim édifia son musée d'art moderne entre 1956 et 1959, à New York. Le musée est bâti sur une spirale de béton armé en forme d'entonnoir. Cette forme singulière contraste vivement avec les lignes droites des gratte-ciel environnants.

Un ajout d'importance
Une tour fut adjointe au musée d'origine en 1992. Elle offre un supplément d'espace consacré à des bureaux et des salles d'exposition.

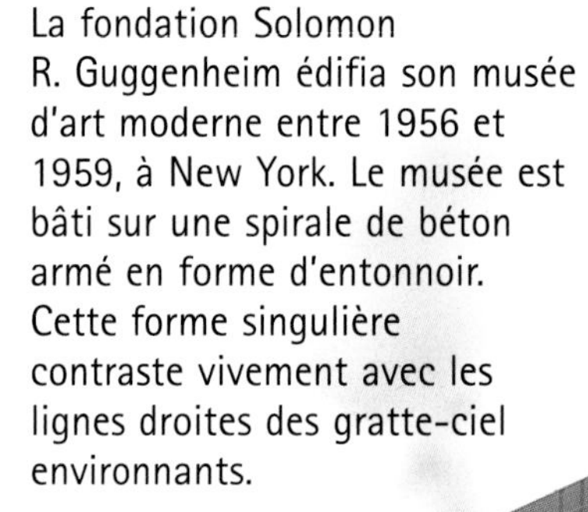

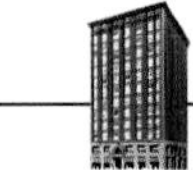

• LE MONDE INDUSTRIEL •

Des formes audacieuses

Après la Seconde Guerre mondiale, de nombreuses nations dans le monde connurent un redressement économique. Les architectes des années 1950 et 1960 dessinèrent des immeubles aux formes inhabituelles pour refléter cette confiance nouvelle. Certains édifices possèdent des formes géométriques simples tandis que d'autres ressemblent à de gigantesques sculptures abstraites. La plupart de ces structures n'auraient pu exister sans l'invention du béton armé. Un toit en béton armé couvrira une large pièce sans nécessiter d'autres supports. L'acier et le béton armé sont si flexibles que les murs et les plafonds peuvent prendre n'importe quelle forme. Dans certains cas, les murs d'une pièce ou d'un plafond étaient conçus pour s'infléchir vers l'extérieur. Cela conférait à l'ensemble une impression d'allégresse, bien dans l'esprit de l'époque où furent dessinés et construits ces édifices.

LE ROCK AND ROLL HALL OF FAME
Ce musée de Cleveland, dans l'Ohio, aux États-Unis, a été conçu par I. M. Pei et inauguré en 1995. Il possède des ponts rectangulaires, ainsi que des cercles et des triangles composés de verre, de granite et d'acier peint en blanc.

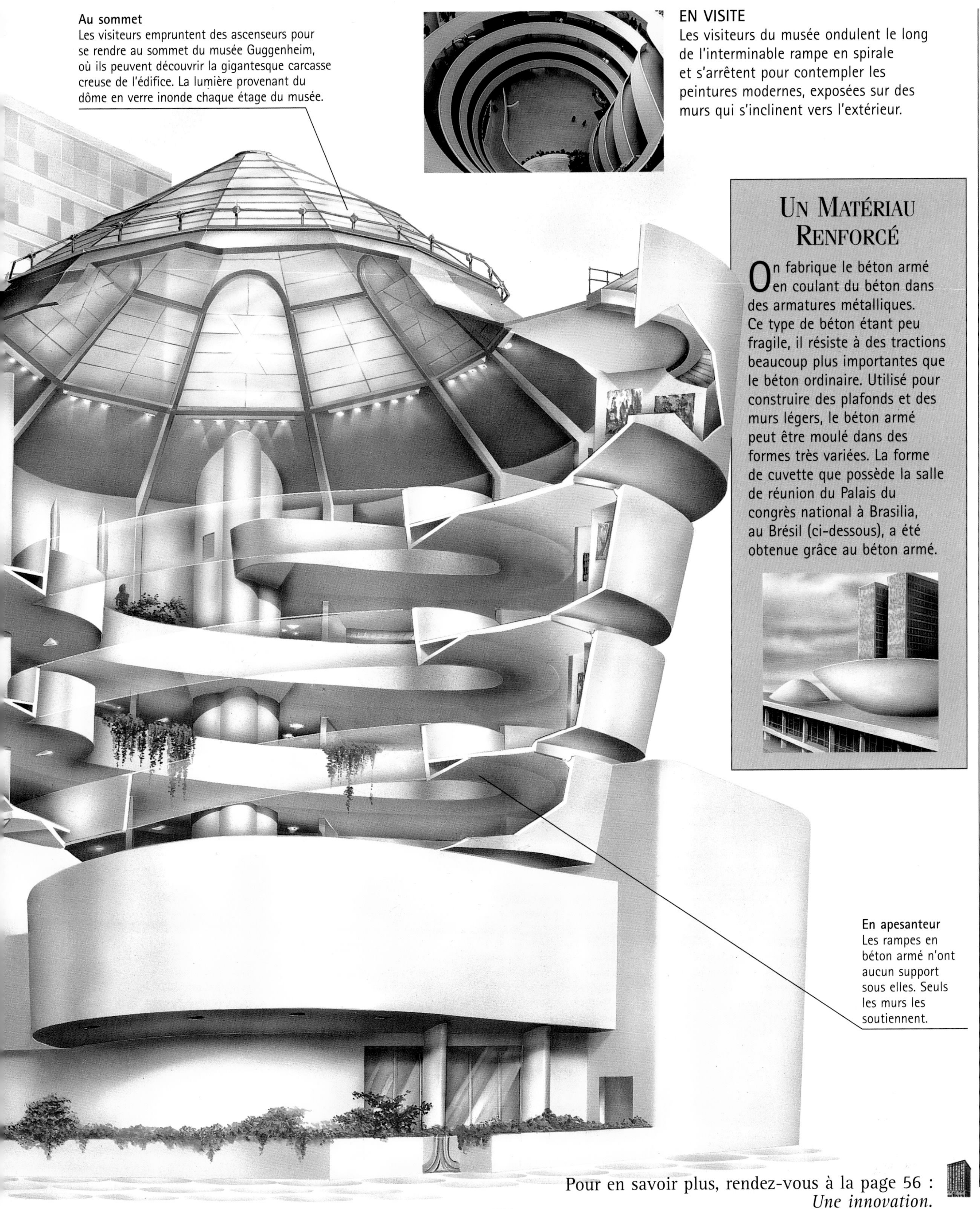

Au sommet
Les visiteurs empruntent des ascenseurs pour se rendre au sommet du musée Guggenheim, où ils peuvent découvrir la gigantesque carcasse creuse de l'édifice. La lumière provenant du dôme en verre inonde chaque étage du musée.

EN VISITE
Les visiteurs du musée ondulent le long de l'interminable rampe en spirale et s'arrêtent pour contempler les peintures modernes, exposées sur des murs qui s'inclinent vers l'extérieur.

Un Matériau Renforcé

On fabrique le béton armé en coulant du béton dans des armatures métalliques. Ce type de béton étant peu fragile, il résiste à des tractions beaucoup plus importantes que le béton ordinaire. Utilisé pour construire des plafonds et des murs légers, le béton armé peut être moulé dans des formes très variées. La forme de cuvette que possède la salle de réunion du Palais du congrès national à Brasilia, au Brésil (ci-dessous), a été obtenue grâce au béton armé.

En apesanteur
Les rampes en béton armé n'ont aucun support sous elles. Seuls les murs les soutiennent.

Pour en savoir plus, rendez-vous à la page 56 : *Une innovation.*

Au chaud et au sec
À Toronto, les spectateurs apprécient le confort du stade couvert durant les rudes hivers. Composé de quatre parties, son toit ouvrant possède une structure en plastique recouvrant une fine charpente en métal.

La meilleure position
Les deux parties centrales, en arc, du toit ouvrant coulissent sur des rails pour se positionner à une extrémité du stade.

Magique !
La demi-coupole située à l'extrémité du stade pivote sur ses rails pour disparaître sous les autres parties du toit.

Le Saviez-Vous ?

Ce sont les nomades qui inventèrent la technique aujourd'hui employée pour la construction des toits des grands stades. Ils l'utilisaient pour monter des tentes faites de mâts et de cordes sur lesquels on tendait des peaux d'animaux.

Jeux et divertissements

Les hommes se sont toujours rassemblés dans de larges stades ou arènes pour se divertir, et s'y retrouvent encore pour assister à des compétitions sportives, des concerts ou autres événements exceptionnels. Bien des stades ne possèdent pas de toit et les spectateurs sont à la merci des caprices du temps. Ils sont exposés à la chaleur estivale et, l'hiver, à un froid glacial. Dans certains pays, cependant, le public n'a plus besoin de consulter le bulletin météorologique avant de se rendre dans des stades désormais équipés de toits. Le développement de nouvelles matières synthétiques, notamment les matières plastiques, a permis la construction de ces toits. Des matières plastiques solides et légères sont tendues sur de fines structures, à la manière des parapluies. Ces toits, dont la forme et la taille varient sensiblement, peuvent recouvrir les stades les plus grands, sans gêner la vue car l'aire de jeu ne comporte aucun pilier.

L'OLYMPIC STADIUM
Les spectateurs du stade olympique de Munich, en Allemagne, sont assis sous un dôme constitué de panneaux transparents, faits de verre et de plastique. Les panneaux sont fixés à un réseau de câbles d'acier tendus entre 56 poteaux en béton armé et le sol.

LES COMPLEXES SPORTIFS
De nombreux grands stades sont spécialement construits pour un événement important. Ce stade de Séoul, en Corée du Sud, a été bâti pour les Jeux olympiques d'été de 1988. Il peut accueillir 100 000 spectateurs.

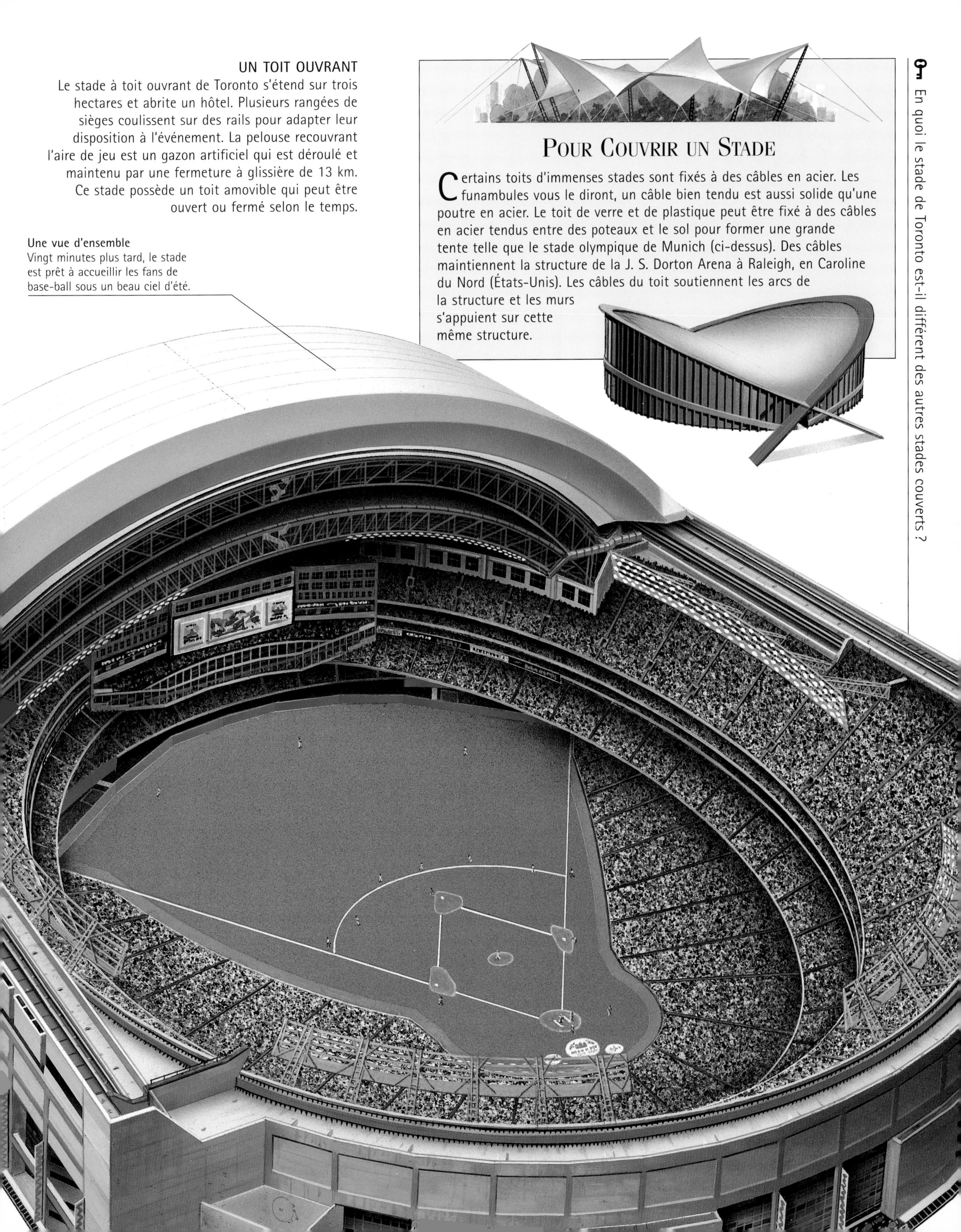

UN TOIT OUVRANT

Le stade à toit ouvrant de Toronto s'étend sur trois hectares et abrite un hôtel. Plusieurs rangées de sièges coulissent sur des rails pour adapter leur disposition à l'événement. La pelouse recouvrant l'aire de jeu est un gazon artificiel qui est déroulé et maintenu par une fermeture à glissière de 13 km. Ce stade possède un toit amovible qui peut être ouvert ou fermé selon le temps.

Une vue d'ensemble
Vingt minutes plus tard, le stade est prêt à accueillir les fans de base-ball sous un beau ciel d'été.

POUR COUVRIR UN STADE

Certains toits d'immenses stades sont fixés à des câbles en acier. Les funambules vous le diront, un câble bien tendu est aussi solide qu'une poutre en acier. Le toit de verre et de plastique peut être fixé à des câbles en acier tendus entre des poteaux et le sol pour former une grande tente telle que le stade olympique de Munich (ci-dessus). Des câbles maintiennent la structure de la J. S. Dorton Arena à Raleigh, en Caroline du Nord (États-Unis). Les câbles du toit soutiennent les arcs de la structure et les murs s'appuient sur cette même structure.

En quoi le stade de Toronto est-il différent des autres stades couverts ?

L'OPÉRA DE SYDNEY
En 1957, l'architecte danois Jorn Utzon gagna le concours lancé pour le projet de construction de l'opéra de Sydney. Mais il lui fallut six années et l'aide d'ingénieurs et des premiers ordinateurs pour concevoir sa réalisation. Le bâtiment est présenté ici à différentes étapes de sa construction.

Des grues géantes
Il fallut trente camions pour acheminer sur le chantier de construction chacune des trois grues venues de France.

• LE MONDE INDUSTRIEL •

Une innovation

La construction d'un édifice novateur est difficile et requiert souvent des techniques nouvelles et des matériaux spécifiques. Les architectes et ingénieurs chargés de construire l'opéra de Sydney, en Australie, ont rencontré des obstacles imprévus. La conception de l'édifice était si novatrice que les ingénieurs mirent plusieurs années à trouver un moyen de le bâtir. Des spécialistes du son dirigèrent le choix des matériaux de construction, qui affectent la qualité acoustique. Métal, plastique et verre du monde entier furent employés dans la construction. Les fabricants durent concevoir de nouveaux équipements et les ouvriers acquérir de nouvelles techniques pour bâtir l'opéra. La réalisation de l'édifice engendra des coûts et des retards inattendus. Seize ans plus tard, prit forme un chef-d'œuvre unique, reconnu aujourd'hui dans le monde entier.

Changement de programme
Comme les ordinateurs montrèrent que le toit prévu à l'origine risquait de s'effondrer, on dut en modifier la conception. Le toit en béton précontraint fut fabriqué en coulant des morceaux de béton sur le bâtiment avant d'y enfiler et de tendre des câbles d'acier.

Le Béton Précontraint

Les toits de l'opéra de Sydney furent dessinés pour être construits en béton précontraint, comme le Trans World Airline Building de l'aéroport Kennedy, à New York, que l'on voit ici. Dans le béton précontraint, l'acier est mis en tension afin qu'il presse le béton autour de lui. Le bâtiment de la Trans World Airline possède un toit léger et peu épais. Il a été construit en versant du béton sur un treillis dont les fils étaient bien tendus.

Les sections en béton
Chaque nervure fut assemblée à partir de morceaux de béton coulés sur le lieu de construction dans des moules réutilisables.

UN GRAND SPECTACLE

Le public entoure l'orchestre dans la salle de concert de l'opéra de Sydney. Les acousticiens ont dessiné la couronne suspendue au-dessus de l'orchestre pour renvoyer la musique vers le bas. Ainsi, les musiciens peuvent entendre le son produit par l'ensemble de l'orchestre.

AU FIL DE L'EAU

L'opéra de Sydney se trouve sur une petite presqu'île dans le port de la ville. Les toits ressemblent aux voiles d'un navire. La salle de concert et le théâtre de l'opéra occupent les deux plus grandes parties du bâtiment. La partie la plus petite est un restaurant.

Des tuiles suédoises
Des tuiles conçues spécialement pour le toit furent importées de Suède. Les ouvriers fixèrent sur les toits des panneaux de tuiles, qui furent préalablement assemblés au sol.

Le verre laminé
Les murs et plafonds sont faits de morceaux recourbés en verre laminé, fabriqués spécialement en France. Un morceau de plastique a été placé entre deux feuilles de verre puis chauffé afin que les trois éléments soient collés ensemble.

Une nuit à l'opéra
En 1973, les habitants de Sydney ont assisté à leur premier concert à l'opéra.

Techniques d'avenir

Les grandes sociétés internationales construisent des immeubles impressionnants mais fonctionnels. Beaucoup de ces gigantesques édifices qui se trouvent en Californie, sur la côte ouest des États-Unis, au Japon et dans d'autres pays bordant l'océan Pacifique sont menacés par les tremblements de terre et des vents destructeurs. Afin de protéger les résidants de ces régions, des bâtiments de hauteur limitée en matériaux légers furent construits. Quand l'espace vint à manquer, architectes et ingénieurs dessinèrent des gratte-ciel capables de résister aux tremblements de terre. Mais les immeubles ne sont pas seulement menacés par les désastres naturels. Les modes de vie modernes affectent également leur avenir. Ainsi, la pollution due au carburant corrode et affaiblit le béton. Chaque nouvelle génération d'architectes et d'ingénieurs devra affronter des obstacles et des défis technologiques nouveaux. Ils créeront des matériaux de construction, des méthodes et des styles architecturaux différents pour répondre aux exigences de l'avenir.

Comment vaincre un tremblement de terre

Le TransAmerica Building de San Francisco, aux États-Unis, est large à la base et étroit au sommet afin de ne pas s'effondrer si la terre tremble. Un immeuble très haut peut également être construit sur un épais matelas de caoutchouc et d'acier, qui absorbe les secousses d'un tremblement de terre. Certains édifices possèdent des tubes en acier qui maintiennent les murs en place, même quand le bâtiment subit des secousses.

Le Saviez-Vous ?

De nombreux immeubles parfaitement solides ont été démolis car personne n'en voyait plus l'utilité. Les constructions d'aujourd'hui sont plus modulables. Même les murs peuvent être déplacés afin que l'immeuble évolue selon les besoins de l'entreprise.

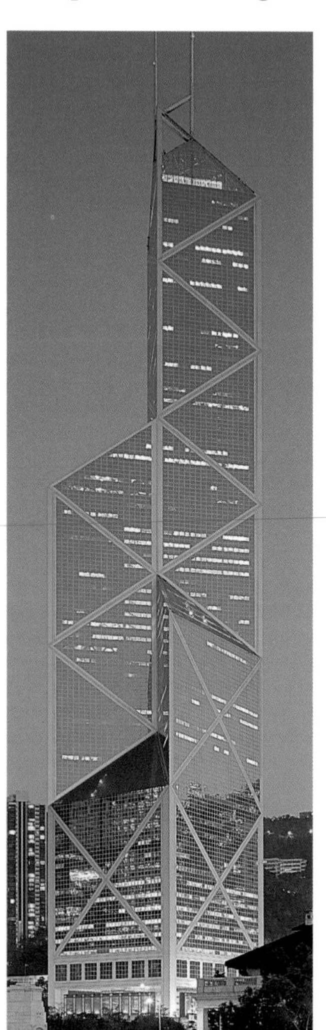

DES TRIANGLES EMBOÎTÉS
Les vents ravageurs ne peuvent détruire la Banque chinoise de Hong Kong car sa structure est composée d'une série d'écharpes très rigides disposées en triangles. La banque se fond dans le ciel, qui se reflète dans ses murs recouverts de miroirs.

UN MONUMENT COMMERCIAL
La Lloyd's de Londres dirige ses affaires bancaires du haut de cet édifice moderne situé au cœur de la capitale anglaise. Les nombreuses tours encadrant le bâtiment d'entrée sont équipées d'escaliers, d'ascenseurs et d'autres commodités. Les escaliers extérieurs permettent de fuir en cas d'incendie.

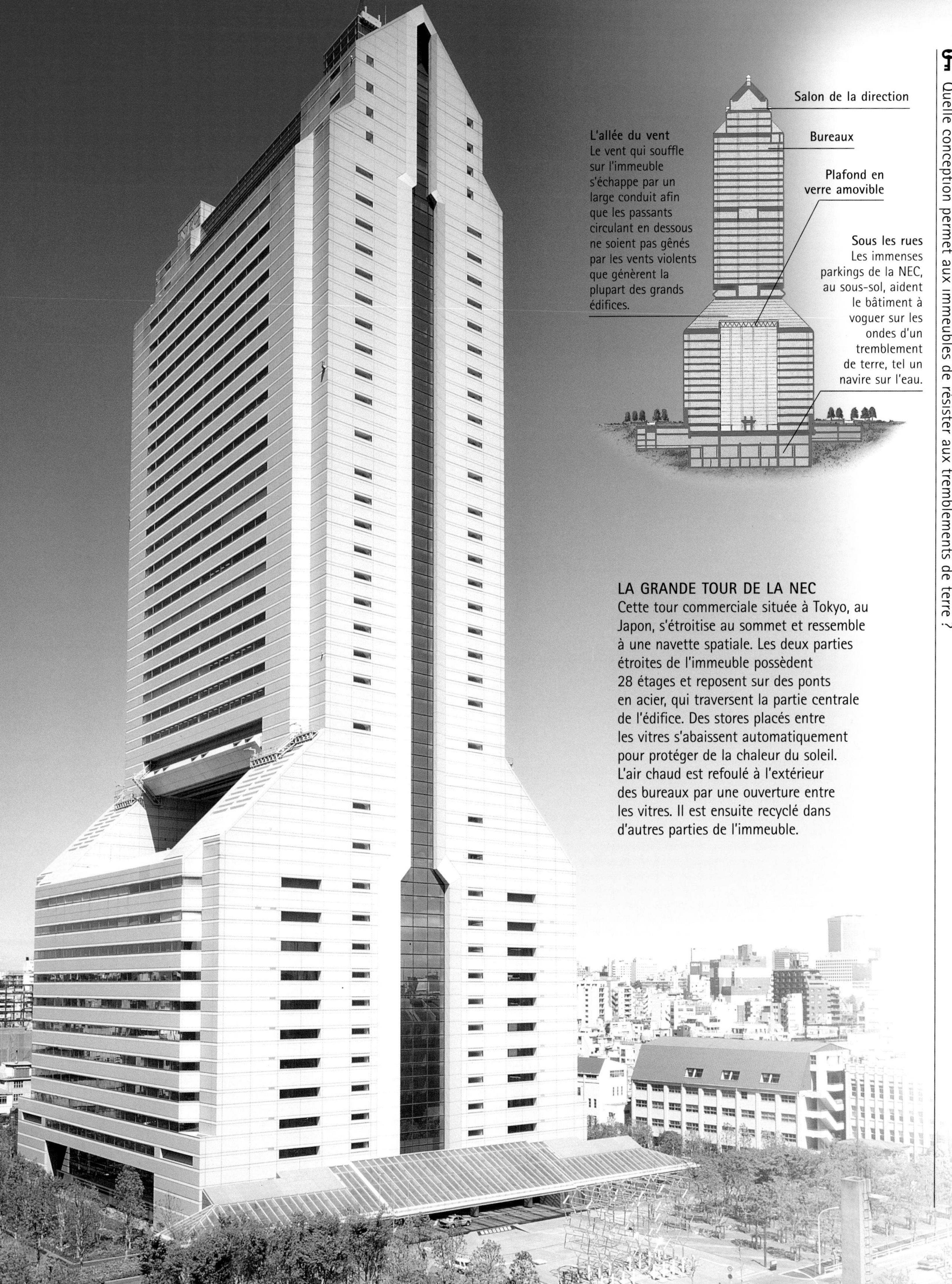

L'allée du vent
Le vent qui souffle sur l'immeuble s'échappe par un large conduit afin que les passants circulant en dessous ne soient pas gênés par les vents violents que génèrent la plupart des grands édifices.

Sous les rues
Les immenses parkings de la NEC, au sous-sol, aident le bâtiment à voguer sur les ondes d'un tremblement de terre, tel un navire sur l'eau.

LA GRANDE TOUR DE LA NEC

Cette tour commerciale située à Tokyo, au Japon, s'étroitise au sommet et ressemble à une navette spatiale. Les deux parties étroites de l'immeuble possèdent 28 étages et reposent sur des ponts en acier, qui traversent la partie centrale de l'édifice. Des stores placés entre les vitres s'abaissent automatiquement pour protéger de la chaleur du soleil. L'air chaud est refoulé à l'extérieur des bureaux par une ouverture entre les vitres. Il est ensuite recyclé dans d'autres parties de l'immeuble.

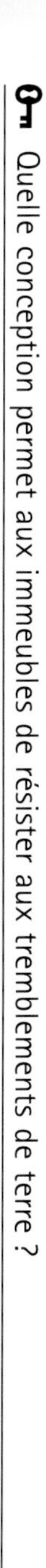

Une vue panoramique

Une grande construction peut refléter bien des idées et des styles différents. Elle nous informe sur les croyances et les valeurs de ceux qui l'ont conçue et réalisée. On peut ne pas aimer l'apparence d'un édifice et même s'étonner qu'il soit considéré comme une construction importante. Mais en connaissant mieux la vie et la pensée de ceux qui l'ont construit, l'époque et la région qui l'ont vu naître, on apprend à l'apprécier. Au cours de l'histoire, les hommes ont parcouru les pays, traversé les voies navigables et les montagnes, se transmettant ainsi des idées de construction. Les illustrations de cette carte désignent l'emplacement des principales constructions présentées dans ce livre. Mais il ne s'agit que d'une partie des grandes constructions de ce monde. Bien d'autres restent à découvrir.

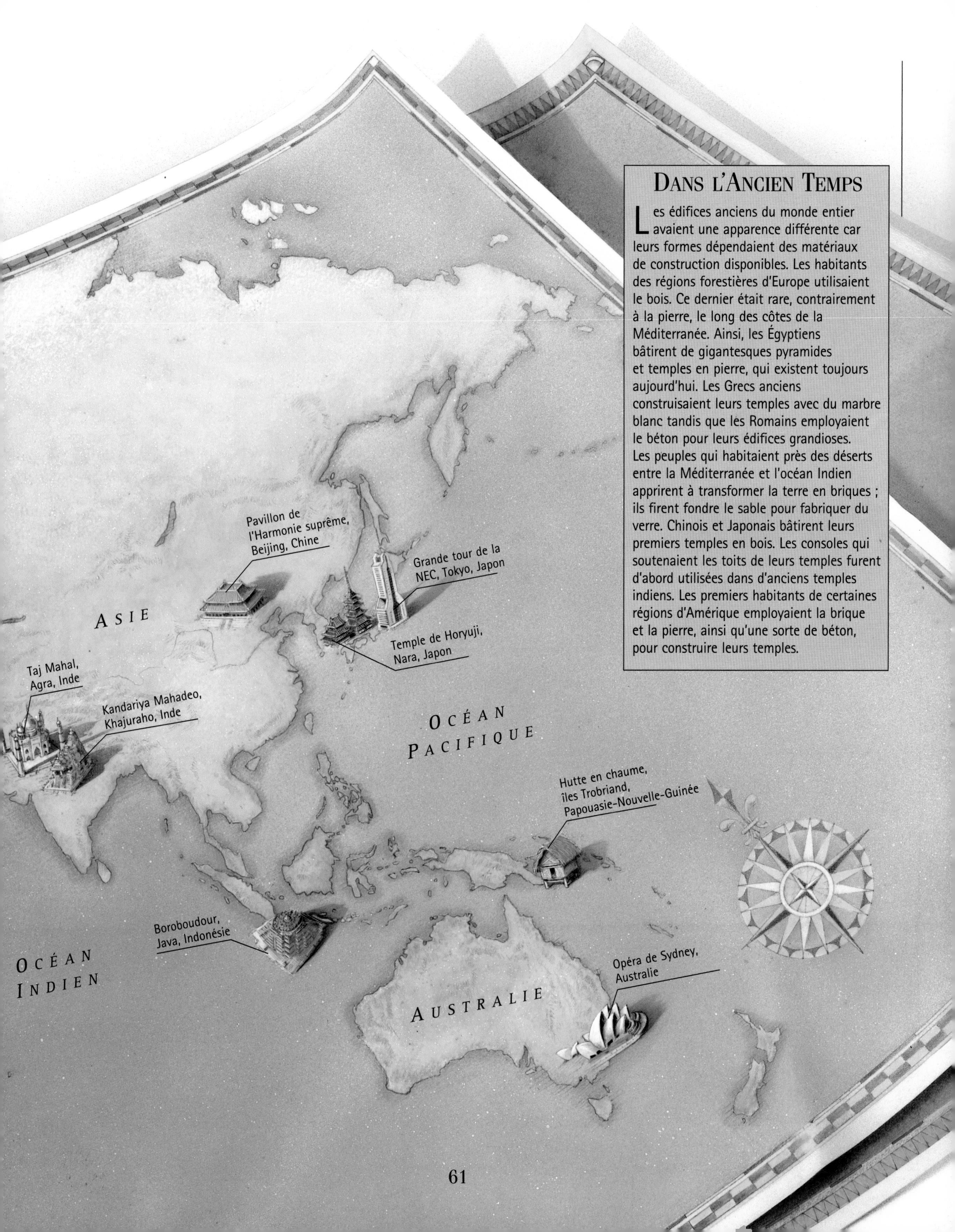

Dans l'Ancien Temps

Les édifices anciens du monde entier avaient une apparence différente car leurs formes dépendaient des matériaux de construction disponibles. Les habitants des régions forestières d'Europe utilisaient le bois. Ce dernier était rare, contrairement à la pierre, le long des côtes de la Méditerranée. Ainsi, les Égyptiens bâtirent de gigantesques pyramides et temples en pierre, qui existent toujours aujourd'hui. Les Grecs anciens construisaient leurs temples avec du marbre blanc tandis que les Romains employaient le béton pour leurs édifices grandioses. Les peuples qui habitaient près des déserts entre la Méditerranée et l'océan Indien apprirent à transformer la terre en briques ; ils firent fondre le sable pour fabriquer du verre. Chinois et Japonais bâtirent leurs premiers temples en bois. Les consoles qui soutenaient les toits de leurs temples furent d'abord utilisées dans d'anciens temples indiens. Les premiers habitants de certaines régions d'Amérique employaient la brique et la pierre, ainsi qu'une sorte de béton, pour construire leurs temples.

Glossaire

Chapiteau corinthien

Église Saint-Charles, Vienne

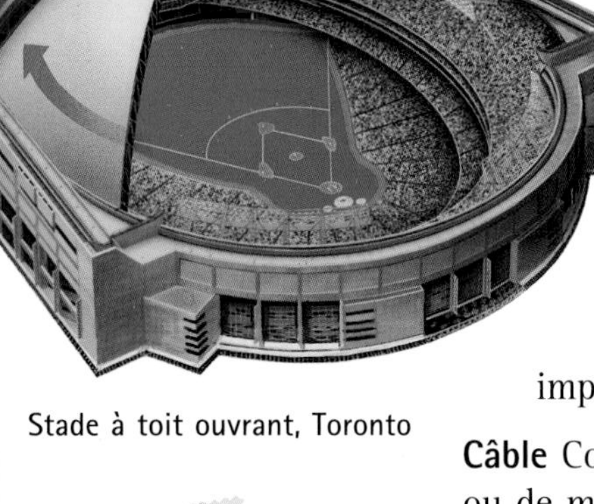

Stade à toit ouvrant, Toronto

Timbre du Vatican

Tour Eiffel, Paris

Acier Métal robuste composé de fer et de carbone, que l'on fait fondre ensemble à une température très élevée.

Aqueduc Canal conçu pour conduire l'eau sur de longues distances. Il peut s'agir d'un pont qui transporte ledit canal à travers une vallée ou une rivière.

Arc Structure courbe bâtie au-dessus d'un porche ou d'une fenêtre.

Arc-boutant Arc d'un monument gothique qui relie un contrefort placé à l'extérieur de l'édifice à une voûte située à l'intérieur.

Architecte Personne dont le métier est de dessiner les plans et de diriger la construction d'édifices.

Atrium Petite cour encadrée par les pièces d'une maison romaine ou cour bordée de portiques, située devant une église.

Autel Table destinée à recevoir les offrandes faites à un dieu.

Béton Matériau de construction artificiel fait d'un mélange de ciment, de chaux, de sable, de petites pierres et d'eau.

Brique Bloc d'argile moulé cuit dans un four afin qu'il durcisse et devienne imperméable.

Câble Cordage robuste et épais fait de chanvre ou de métal.

Chapelle Pièce d'un large édifice où est célébré l'office religieux.

Château Construction fortifiée conçue pour repousser les attaques ennemies.

Chaume Matière servant à couvrir les toits. Le chaume est constitué de bottes de paille, de roseaux et de feuilles.

Civilisation Société humaine qui possède des pratiques sociales, un gouvernement, une technologie et une culture propres.

Colonne Grand et fin support cylindrique doté d'un chapiteau au sommet et, dans certains cas, d'une base large et ronde. Les colonnes sont utilisées pour soutenir un toit ou le dernier étage d'un immeuble.

Console Morceau de bois, de pierre ou de métal dépassant d'un mur ou d'une colonne pour soutenir un objet pesant au-dessus de lui.

Contrefort Structure servant d'appui à une partie d'un édifice pour l'empêcher de s'écrouler.

Corbeau Morceau de pierre ou de bois mis en saillie sur un mur pour soutenir une poutre. Il est maintenu en place par la pression du dessus et du dessous.

Cour Espace découvert encadré sur plusieurs côtés par des murs ou d'autres constructions.

Cour intérieure Espace découvert cerné par les murs d'un château. Un château de grande taille peut posséder plusieurs cours intérieures.

Dôme Toit de pierre arrondi qui recouvre une partie d'un édifice en lui donnant la forme d'un cercle. La plupart des dômes sont faits d'arcs. Les dômes construits avec des corbeaux sont dits « en encorbellement ».

Donjon Grande tour composant l'unique partie d'un château ou tour principale d'un château où l'on se réfugiait en cas d'attaque. L'entrée est généralement si haute qu'on ne peut l'atteindre qu'avec une échelle.

Douve Fossé rempli d'eau entourant les murs d'un château. Il est conçu pour éloigner les ennemis de l'enceinte.

Échafaudage Plates-formes en bois ou en métal disposées contre un mur ou sous un toit. Les ouvriers et les artistes s'installent sur l'échafaudage pour construire, décorer ou réparer les édifices.

État souverain Ville – et ses environs – qui possède son propre gouvernement indépendant.

Faïence Carreau, brique ou récipient composé de terre cuite au four, décorée avec un motif ou un dessin, puis vernissée.

Fer Robuste métal employé pour fabriquer les outils et certaines parties des immeubles. On le trouve dans certains types de roches, dont on l'extrait à haute température.

Flèche Grande et fine tour ayant la forme d'un cône ou d'une pyramide, qui se trouve au sommet d'un édifice.

Fresque Dessin peint sur un mur ou un plafond recouvert de plâtre. On applique la peinture quand le plâtre est encore humide.

Frise Bordure décorative autour d'un mur. On appelle généralement frise une bordure ornementale située juste sous le plafond ou le toit.

Fronton Mur de forme triangulaire qui cerne la fin d'un édifice entre deux toits inclinés. Il s'agit également de l'ornement triangulaire situé au-dessus d'une fenêtre ou d'une porte.

Galerie Pièce longue et étroite, ouverte au moins sur un côté.

Gargouille Tuyau ayant la forme d'une créature grotesque. La gargouille sert à l'écoulement des gouttières d'un édifice.

Illusion d'optique Phénomène qui se produit quand les yeux croient voir quelque chose qui n'existe pas en réalité. On peut par exemple distinguer une pièce ou un objet en relief, alors que le tableau est peint sur une surface plate.

Laminer Presser ou cimenter plusieurs couches de matériaux, tels que le bois, le verre ou le plastique, afin de les réduire en une seule plaque.

Levier Barre basculant autour d'un point d'appui qui permet de soulever un poids. Quand on baisse l'extrémité du levier la plus longue, l'extrémité la plus courte soulève un objet pesant.

Machine à vapeur Machine qui transforme la vapeur d'eau en énergie employée pour actionner équipements et outils.

Marbre Pierre de construction très populaire que l'on trouve en plusieurs couleurs. Le marbre peut être poli afin d'être aussi lisse et brillant que le verre.

Minaret Grande tour à l'extérieur d'une mosquée, possédant un escalier intérieur et une plate-forme au sommet.

Mosaïque Dessin effectué en disposant de petits morceaux de pierre ou de verre colorés sur un mur, un plafond ou le sol.

Nomades Peuple errant d'un endroit à un autre, généralement en quête de gibier ou de pâturages pour ses troupeaux.

Obélisque Grand et fin monument, dont le sommet est en ogive et la base généralement carrée.

Pèlerin Personne voyageant en direction d'un lieu saint. Le voyage d'un pèlerin s'appelle le pèlerinage.

Pendentifs Supports permettant la construction d'un dôme sur une pièce carrée.

Pierre ponce Pierre légère provenant d'un volcan.

Pinacle Petite arête reposant sur le sommet d'un mur ou d'un contrefort.

Plâtre Mélange composé de chaux, de sable et d'eau, que l'on répand sur les murs et les plafonds et que l'on laisse sécher. Le résultat obtenu est lisse.

Poutre Long morceau de bois, de pierre ou de métal rectangulaire servant de support dans une construction. Les poutres disposées entre deux murs soutiennent le plafond d'une pièce ou le sol de la pièce du dessus.

Produit artificiel Produit créé par les humains, qui n'existe pas de manière naturelle.

Reliques Objet personnel ou fragment du corps d'un saint conservé après sa mort.

Remplage Charpente de pierres arrondies soutenant les vitraux placés sur les fenêtres des monuments gothiques.

Révolution industrielle Évolution dans la manière de produire les marchandises. Elle débuta en Angleterre à la fin du XVIIIe siècle. Les machines actionnées grâce au bois, au charbon, au pétrole et à l'eau permirent d'effectuer le travail autrefois accompli par l'homme ou l'animal.

Salon Pièce d'une maison fastueuse ou d'un château, destinée à recevoir les invités.

Sanctuaire Structure construite au-dessus d'un lieu ou d'un objet considéré comme sacré.

Stuc Plâtre lisse que l'on applique sur les murs. Il peut être teint, modelé et poli jusqu'à ce qu'il brille.

Tension Action de tirer ou de tendre un objet. Les matériaux de construction tels que la pierre et le béton se brisent facilement sous la tension, tandis que le bois, le fer et l'acier lui résistent.

Terrasse Endroit surélevé par rapport à ce qui l'entoure. Un édifice peut se trouver au sommet d'une ou plusieurs terrasses. Le haut d'un immeuble est dit « en terrasses » s'il ressemble à un escalier.

Tuile Fine plaque d'argile cuite. Employées pour recouvrir les toits et le sol, les tuiles sont souvent vernissées. Les tuiles vernissées furent d'abord utilisées pour recouvrir les édifices faits de matériaux que l'eau aurait pu endommager.

Vernis Solution appliquée sur les matériaux faits d'argile, tels que la poterie, les briques et les tuiles, pour leur donner une surface rigide, brillante et imperméable.

Voûte Toit ou plafond arrondi fait de pierre, utilisant le système des arcs ou des corbeaux.

Voûte en encorbellement Plafond de pierre composé de rangées de corbeaux qui s'élèvent de deux murs pour se rencontrer au centre.

Église de la Nativité, Novgorod

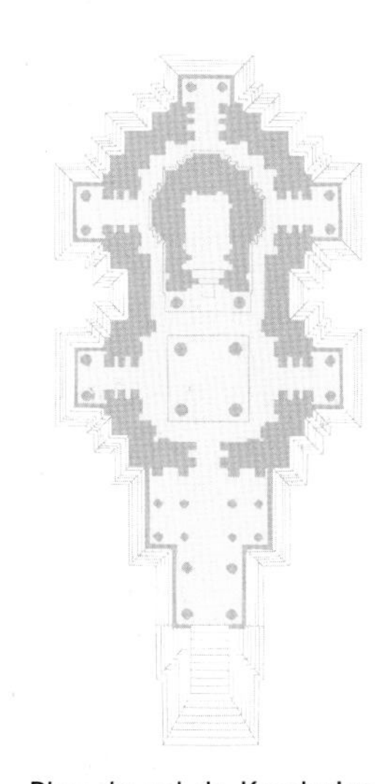

Plan du sol de Kandariya Mahadeo

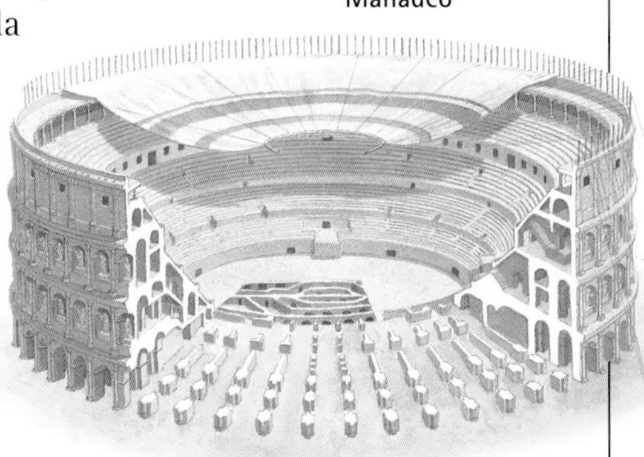

Colisée, Rome

Bâtiment Lloyd's, Londres

Index

Crédits photographiques

(h=haut, b=bas, g=gauche, d=droite, c=centre, F=fond, C=couverture, D=dos)
A.G.E. Fotostock, 50bg, 51hg. **AKG London**, 30hd, 40hd, 10hg (H. Bock), 24cg, 45bd, 47bc, 50hd (E. Lessing). **Angelo Hornak Library**, 33hc, 43hc, 49c, 49hg, 56bg, 34hd (Courtesy of the Dean and Chapter of Wells Cathedral). **Arcaid**, 47hd (N. Barlow), 51hd, 54bd (R. Bryant), 27cd, 27hd (M. Fiennes), 52hg (S. Francis), 58bg (I. Lambot). **Austral International**, 30hg (Camerapress/C. Osborne), 42hg, 62bcg (K.P. Head). **Australian Picture Library**, 54bg, 16cg, 36hg, 57hg (D. Ball), 49hcd, 49hd (Bettmann), 20bg (K. Haginoya), 10cg (D. & J. Heaton), 30hcg (B. Holden), 36hc (R. Price/West Light) 22hg (S. Vidler). **Bildarchiv Foto Marburg**, 47bd. **Bilderberg**, 51cd (E. Grames), 50hg (M. Horacek). **The Bridgeman Art Library**, 34cg, 43hd (J. Bethell), 28bc (Courtesy of the Board of Trustees of the Victoria & Albert Museum), 45c (Johnny van Haeften Gallery, London), 44bd (Lauros-Giraudon). **The British Museum**, 21hd. **Christine Osborne Pictures**, 7hd. **C.M. Dixon**, 31cd, 33cd, 38hd, 44cg, 44hg, 11hc (Berlin Museum). **Robert Estall**, 14h. **George Gerster**, 18/19c. **Timothy Hursley**, 52bg. **The Image Bank**, 58hd (A. Becker), 53hc (G. Colliva), 9bd (G. Covian), 42c, 62hcg (G. Cralle), 41bd (S. Dee) 45bg (G. Faint), 16hc (D. Heringa), 58bd, 63bd (R. Lockyer), 8cg (M. Martin), 26cg (H. Sund). **Magnum**, 19hg (M. Franck), 18bg (P.J. Griffiths), 40hc, 42cg (F. Mayer). **Jenny Mills**, 19bd. **NEC Corporation, Tokyo**, 59c. **Nippon Television Network Corporation Tokyo 1991**, 42cd. **The Photo Library, Sydney**, 9hc (R. Frerck/TSW), 9cd (D.N. Green), 46hg (R. Smith), 20hg, 23cd, 34bg (TSW), 12hd (N. van der Waarden). **Robert Harding Picture Library**, 7cd, 19cd, 25hd, 48bg, 48hg, 57hd, 62bg, 26hd (G. Campbell), 8hd (R. Frerck), 17hd, 29hg (J.H.C Wilson), 7hg, 25bd (A. Woolfitt). **Scala**, 16bg, 16bd, 33c, 33hd, 39hg, 44/45h. **SCR Library**, 26bd (D. Toase). **Sonia Halliday Photographs**, 24bc, 28bg, 43hg (L. Lushington), 17c (J. Taylor). **Werner Forman Archive**, 14bg, 31hg, 31hd, 13hg (The British Museum). **Michael S. Yamashita**, 23hd.

Illustrations

Kenn Backhaus, 60/61c. **Chris Forsey**, 12/13c, 12g, 13hd, 30/31c, 30hg, 36/37c, 36cg, 37cd, 62hg. **Ray Grinaway**, 2, 4/5b, 5hd, 17hg, 19hd, 20hd, 26hg, 27c, 39cg, 48cd, 63hcd, 63hd. **Iain McKellar**, 8/9c, 22/23c, 39-42c, 39bg, 42bd. **Peter Mennim**, 3, 20/21c, 20hg, 32/33c, 32bg. **Darren Pattenden/Garden Studio**, 6/7b. **Oliver Rennert**, 1, 24/25c, 24cg, 34/35c. **Trevor Ruth**, 54/55c, 54h, 55hd, 62cg. **Michael Saunders**, 50/51c, 52/53c, 53cd. **Stephen Seymour/Bernard Thornton Artists, UK**, 28/29c, 28hg. **Roger Stewart/Brihton Illustration**, 14/15c, 14cg, 15bd, 63bcd. **Rod Westblade**, 4g, 10/11c, 11hd, 56/57c, 59hd, endpapers, icons. **Ann Winterbotham**, 5d, 38/43c, 38bg, 46/47c.

Couverture

Arcaid, FChg (R. Bryant). **Sonia Halliday Photographs**, DChg (L. Lushington). **Ray Grinaway**, DCbd. **Letraset**, Dg. **Iain McKellar**, FCc. **Rod Westblade**, FChd.